本文に登場するアート

エル・グレコ〈キリストの復活〉

レンブラント〈善きサマリア人〉

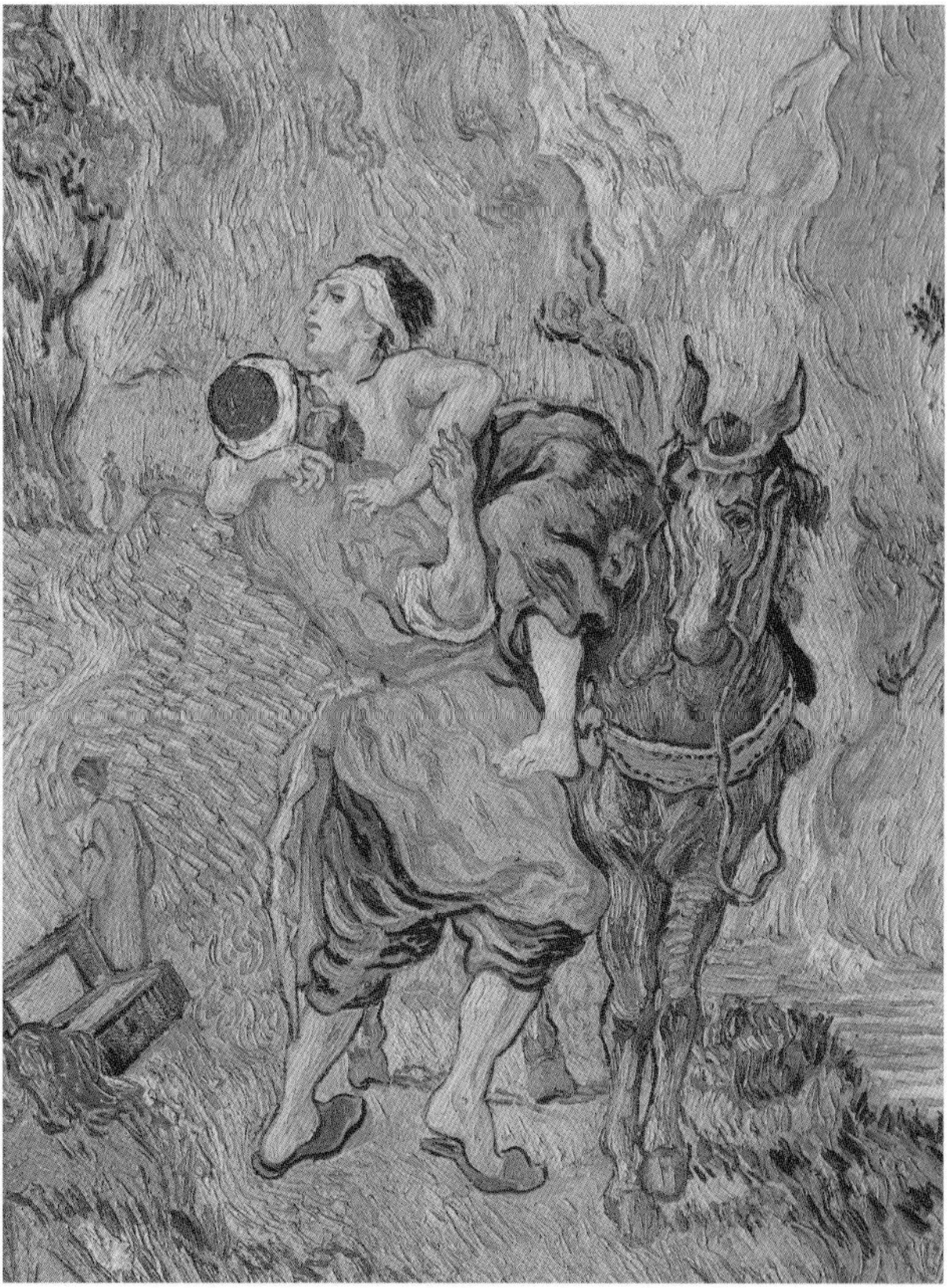

ゴッホ〈善きサマリア人〉

ミケランジェロ〈システィーナ礼拝堂天井画〉

ラファエロ〈フランソワ1世の聖家族〉

ベラスケス〈ラス・メニーナス〉

ゴヤ〈裸のマハ〉

ドラクロワ〈キオス島の虐殺〉

ドラクロワ〈民衆を導く自由の女神〉

ドラクロワ〈アルジェの女たち〉

ギュスターヴ・クールベ〈オルナンの埋葬〉

ルイ・ダヴィッド〈皇帝ナポレオン1世と皇妃ジョゼフィーヌの戴冠式〉

ゴーギャン〈我々はどこから来たのか 我々は何者か 我々はどこへ行くのか〉

ピーテル・ブリューゲル〈バベルの塔〉

フェルメール〈手紙を書く女〉

コンスタブル〈デダムの谷〉

ターナー〈雨、蒸気、速度――グレート・ウェスタン鉄道〉

カンディンスキー〈コンポジションⅦ〉

アルフォンス・ミュシャ〈ロシアの農奴解放の日〉

ヤン・マテイコ〈レイタン、ポーランドの没落〉

シャガール〈戦争〉

エマヌエル・ロイツェ〈デラウェア川を渡るワシントン〉

ミレー〈種をまく人〉

ウォーホル〈自由の女神〉

石垣栄太郎
〈リンチ〉

レオナルド・ダ・ヴィンチ
〈サルバトール・ムンディ〉

ウクライナにある正教会の聖堂内部（著者撮影）

エルサレムの「岩のドーム」
（著者撮影）

2022年にオープンしたドバイの「未来博物館」
の外観はアラビア語をあしらったデザイン

カナダ・ヴィクトリア大学では先住民のアートが
キャンパス内の至るところで見られる（著者撮影）

山中俊之

「アート」を知ると「世界」が読める

GS
幻冬舎新書
723

プロローグ

朝7時40分、マンハッタンのある企業の始業前。コーヒーを飲みながら、2人のビジネスパーソンが雑談をしています。

「時流を読むセンスは、なかなかのものですよ、やっぱり」

「16年もやってれば賛否両論、いろいろあるけどね。まあ、資金調達に成功し続けてるんだから、やり手であることは間違いない」

「私は、あの発表に拍手喝采だね。思いつく人はいても、やれる人はなかなかいない。話題性も抜群だし、いろんな議論が広がるんじゃないかな」

カウンターに置いてあるのは、NYタイムズ。世界的に新聞離れが進む中、有料購読者数は2022年末で955万人。紙、電子、アプリの総計とはいえ、前年から197万2000人増えたというのですから、文句なしの有力紙と言って間違いありません。

かくいう私も外務省時代に上司から勧められて以来購読しており、ジョギングの後でNYタイムズを読むのは、いわばモーニング・ルーティンです。**フェイクニュースが溢れる時代だからこそ、堅実に事実関係が精査された情報を得るにはベストの媒体**だと思っています。

さて、冒頭のビジネスパーソンの会話は、同紙に掲載された、ある組織のトップについてのものです。そのトップとは、どんな人でしょう？

アートとビジネスパーソンの意外な関係

答えはアップルのＣＥＯティム・クック？　不正解。経営手腕のことはおいておいて、スティーブ・ジョブズの後継者に就任したのは２０１１年８月ですから、本書を執筆している２０２４年現在、まだ16年たっていません。

それなら、ペイパル創業者でシリコンバレーのスタートアップに大きな影響力をもつピーター・ティール？　あるいは、シリコンバレーに人材を輩出しつつ巨額の寄付金を集め、世界に存在感を示す、スタンフォード大学学長のマーク・テシェーン・ラヴィーン？

どれも異なります。

正解はニューヨークにある「メトロポリタン歌劇場〝元総裁〟のピーター・ゲルブ」です。

新型コロナウイルス感染症蔓延による1年半もの休演を経て、再び幕が開いた２０２１年、上演されたのは黒人作曲家テレンス・ブランチャードの現代オペラ。出演者も黒人オペラ歌手でした。その後も黒人の作曲家、歌手の作品が続いています。

「世界最大級の劇場の再演の演目として、ダイバーシティを真正面から取り上げる決断をした」と話題になりました。

欧米では、コロナ禍の前後から、オペラの主要登場人物に黒人を登用することが増えています。これまで、たとえばシェイクスピアの〈オセロ〉の黒人主人公を、黒人歌手が演じることはありました。しかし、オペラ〈椿姫〉の高級娼婦であるヴィオレッタは、従来は白人が演じていましたが、昨今はその役に黒人歌手が登用されています。

このように**アート**は〝**ダイバーシティの先行指標**〟でもあり、「世界」を読むツールにもなりうるのです。

ちなみにピーター・ゲルブの肩書を〝元総裁〟としましたが、今なおポジションは同じで、名称が変わっただけ。

アメリカで高級ブランド「グッチ」の販売を手掛ける実業家マネッティ・シュレムが、メトロポリタン歌劇場に500万ドル（当時のレートで7億2000万円相当）を寄付したことで、「総裁（ジェネラル・マネジャー）」と称する権利を取得。マネッティ・シュレムが「マネッテイ・シュレム総裁」という呼称を得たので、メトロポリタン歌劇場の総裁だったピーター・ゲルブは〝元総裁〟になったのです。

ピーター・ゲルブのように、500万ドル相当がぽんと寄付されるような組織のトップが、ビジネスシーンに無縁であるはずがありません。

「つまり、冒頭で会話していた2人のビジネスパーソンは、オペラ好きの趣味人なのだろう」
「もしかしてアーリーリタイアを控えて余裕なのか」
「一流ビジネスパーソンたるもの、オペラくらい学べって話？」

日本人ならこんな感想を抱くかもしれません。

しかし、**欧米のエリートと呼ばれる人たちがアートをチェックするのは、ごく日常的な光景**です。朝一番の雑談だから、込み入った政治や経済の話はしたくない。少しゆるやかな、でも世界の潮流を捉えたテーマがいい……。このニーズに応えてくれるのが、アートなのです。

アートについての記事が新聞の1面に！

ニューヨークのみならず、パリやウィーンのオペラ劇場は、ビジネスリーダーや政治家の社交場でもあります。一緒にボックス席で観劇し、30分ほどある幕間に、シャンパンやワインを片手に歓談します。

カナッペを頬張りながらの話題が政治やビジネスの駆け引きでない〝純然たるオペラ談義〟だとしても、利害関係のある要人は時を共にすることができるのです。

ビジネスに何も影響がないはずはなく、少なくともそのオペラ談義は中身のあるものでなければいけない。素養がない人は論外、自分独自の見解を言語化できない人も、距離を置かれてしまいます。

「いやー、よくわからなかったけど、いい声が出てましたねえ！」

無邪気にこんな発言をしたら、「教養がなく、話が通じないレベルの人間だ」とみなされかねません。

オペラに限らず、クラシックのコンサートであれ、絵画や現代アートであれ、一定の基礎知識があり、自分独自の意見を披露できる。これが世界のビジネスエリートの〝標準装備〟です。

NYタイムズには毎日のように1面に絵画、音楽、オペラなどアート情報が掲載されており、そもそもアートの記事の取り上げられ方が、日本メディアとは大きく異なります。

たとえば、2022年12月21日に写真入りで大きく掲載されたのは、レンブラントの自画像("Rembrandt in a Red Beret") についての記事。日本なら文化面にのるところが、1面の大きな記事になっているのは、アメリカ人にとってこれが「17世紀のオランダを代表する世界的な画家についての文化的な話題」にとどまらない大ニュースだからです。

記事によれば、この作品は1934年、オハイオ州の配管工がドイツ人船員と酒を飲んだときに、手に入れたとされています。

「朝起きたら財布は空っぽ、傷んだ絵だけがあった。ドイツ人船員にだまされた!」

この話は真実なのか? 実はドイツ・ワイマール美術館所蔵の作品が、アメリカ移送中に盗まれたものではないか? いずれにせよ本物でなく、弟子の作品なのでは?

真贋《しんがん》問題に加え、第二次世界大戦中のアメリカにはドイツとの貿易を禁じる「敵国取引法」があり、移送自体が違法だった可能性もあります。どこに所有権があるかは宙ぶらりん、歴史の遺恨と国際問題をはらむデリケートな問題です。

さらにレンブラントの作品は、世界に600ほどもあると言われていましたが、鑑定の結果、300ほどに訂正されています。つまり贋作《がんさく》が非常に多い!

そんな中、レンブラントの作品が新たに見つかったとなれば、桁外れの値がついたすべてのレンブラント作品の市場価値が大変動し、世界のアートビジネスに衝撃が走る……。

第一線の美術鑑定家たちは、作品が傷んでいることを理由に「ノーコメント」を連発、修復に手をあげる人も現れない。

この記事は、**一つの美術作品が複雑な歴史的背景をもち、政治、国際情勢、経済にも関係するというストーリーを展開**しています。

「ヨーロッパの街の中心は教会、そして劇場・コンサートホールだ」

改めて私がそう感じたのは２０２３年1月、ウィーンの楽友《がくゆう》協会を訪れたときのこと。楽友協会と聞いてピンとこない人も、ウィーン・フィルハーモニー管弦楽団の本拠地と言えば、おわかりでしょう。ウィーン・フィルは世界的な人気を誇り、ニューイヤーコンサートはＮＨＫでも毎年中継されています。

楽友協会は19世紀の竣工《しゅんこう》で、時の皇帝フランツ・ヨーゼフ1世が「できるだけ多くの人が音楽に親しむことができるように」と一等地を提供。音楽と市民との距離は、非常に近しいのです。それゆえに主要な劇場の舞台監督やオーケストラ指揮者が交替するとなれば、注目が集まります。

たとえばフランスのオペラ劇場の歴史はルイ14世の時代にさかのぼり、現在のオペラ座はパリ改造計画の中で、１８７４年にシャルル・ガルニエが設計しました。本書の執筆時点では、

2024年の完成を目指して改修工事中です。

「伝統を損なわず、新たなオペラ座にするにはどうすべきか？」

単なるメンテナンスでも都市計画でもなく、全国民的な関心事。シラク大統領時代から大激論がかわされ、高い関心を集めているさまは、東京・銀座の歌舞伎座の改築と比較すると違いが顕著です。「アートの記事は、アートに関心のある人が読むもの」という日本人の認識は、世界においては、やや偏ったものと言えるでしょう。

古代ギリシアの頃から「アート＝考える道具」だった！

アートがビジネスパーソンの教養として不可欠となっていることは、多くの識者が述べているとおりです。

2017年に発売された山口周さんの『世界のエリートはなぜ「美意識」を鍛えるのか？』(光文社新書)は、「論理だけでは勝てない時代には、アートが重要だ」という趣旨の提言をしてベストセラーになりました。アートは世界のビジネスエリートの必須教養と言えます。

「アートについての教養がないと昇進できない」

そう語るのはフランス通の友人ですが、もちろん芸術の国フランスといえども、人事査定に

「アートについての知識」という項目があるわけではありません。「アートは出世に不可欠」というのは言いすぎでしょう。

しかし「アートの素養は社会や人間への理解につながる」という共通認識があるのなら、「リーダーや管理職の資質として、アートは欠かせない」とされていても、不思議ではありません。

「やっぱりフランスはアートの国だな」と改めて感じたのは、フランスの演劇系の大学との共同プロジェクトの一環でフランスに渡り、俳優として公演を経験した学生と話したときです。

その学生いわく「フランスでは、俳優などアーティストは尊重されているので、学生の演劇でも、劇場のホワイエ（ロビー）には、演者向けにワインと食べ物の無料サービスがある」とのこと。「アーティストには、ワイン1杯無料」というのが、いかにもフランスらしいと思いました。

ビジネスリーダー向けの研修などで私がこうした話をすると、だいたい似たような声が聞かれます。

「アートが重要なので、これからの時代はたまには美術館に行って、感性を磨かないとダメなんですよね」

「センスがないから、アートとかよくわからなくて……」

そんなとき、私は一言つけ加えることにしています。

「アートとビジネスが交錯する〝新しい時代〟が来たわけではありませんよ。もともと源流は同じなんです」と。

アートの語源はラテン語の「アルス(ars)」で、現代の「アート=芸術」だけでなく「技術・技巧」という意味も含まれています。ちなみに英語で文科系の学士のことを「Bachelor of Arts」と言うことがあり、ここでのartsには人文学から社会学なども含まれています。

「アート(アルス)」は、古代ギリシアのソクラテスに始まり、プラトン、アリストテレスに受け継がれていった哲学と深く結びついていました。

哲学とアートの関係についてはのちほど詳しく述べますので、ここでは要点を簡単にまとめます。

哲学は、「生きるとは? 命とは? 善悪とは?」「我々はなぜ存在するのか?」など、人間や社会、宇宙の根本に迫る問いを深く考え、論理的に探究する学問だと私は考えています。

哲学の代表的な問いの一つに「善く生きるとは何か?」がありますが、ソクラテスの弟子プラトンは、師の教えをベースに正義・徳・善について探究しました(もっともプラトンは、芸術について必ずしも肯定的とは言えませんでしたが)。

さらに、ソクラテスとプラトンの弟子であるアリストテレスが「学問の父」と呼ばれるのは、哲学をベースに、ありとあらゆる学問を体系化したためで、そこにはアートも含まれていました。とはいえ、古代において学問は未分化であり、現在では数学者と捉えられることが一般のピタゴラスも、当時の認識では哲学者です。

ギリシア哲学の伝統がしっかりと受け継がれているヨーロッパでは、小学校から哲学の授業があることも多く、繰り返し「考えること」をうながされます。哲学の素養をベースに「考えること」が社会をよりよくすること、すなわち政治や経済にも密接に結びついています。

その意味では、アートは政治や経済とも深く関係しています。

エリートともなれば思考の鍛錬は重要な課題で、フランスのマクロン大統領はグランゼコール在学中に哲学を学び、一時期、哲学者のポール・リクールに師事していたことはよく知られています。

彼は「哲学者じゃ食えない」と、金融業界に身を転じたのちに政治家になったとされていますが、いずれにせよ徹底的に思考する訓練は、その後のキャリアにも大いに役立っていることでしょう。

アートと哲学が分かち難く結びついていることを考えれば、**「哲学的な思考の鍛錬としての**

アート」が、ヨーロッパ、そしてアメリカのエリートたちの必須教養となったことは、自然の成り行きに思えます。

さらにキリスト教が土台にある欧米では、かつてアートはSNSであり、メディアでした。識字率が低かった中世で、キリスト教布教のために用いられたのが、美しい宗教画や教会音楽です。アートは「神の教えを伝える魅力的なツール」であり、多くの国と民族がキリスト教をベースに発展して、今日があります。その影響の大きさは、改めて述べるまでもないでしょう。

アートとの対峙で、自分なりの問いを発する

アートは宗教、民族性、歴史と分かち難く結びついており、言葉というある種「限界があるコミュニケーションツール」にはない〝表現力〟を内包しています。

作品と対峙し、素直に感じることは大切ですが、その背後にある文脈（コンテクスト）を知っているのと知らないのとでは、受け止め方は変わってきます。

たとえば、有名なパブロ・ピカソの〈ゲルニカ〉を見たとき、ピカソの存在すら知らない子どもであっても、何かしら感じるものがあるでしょう。すごい、こわい、面白い、不思議、かわいい――何を感じるかは人それぞれですが、見る者の鼻先まで迫り、感情をかき立ててやま

ないだけの圧倒的な表現力がある作品だと思います。

しかし、〈ゲルニカ〉に込められたピカソのメッセージを読み取り、自分なりの問いを見つけて思考するのは、ピカソを知らない子どもには難しい。ビジネスパーソンであっても、アートや当時の世界についての知識がないと、相当に難易度が上がってしまいます。

そこで本書では、アートについての最低限の知識をお伝えし、それを〝思考の材料〟として役立てていただきたいと考えています。そうすれば〈ゲルニカ〉についても、次のような〝思考の土台〟はすぐに整います。

・人類が言葉をもたなかった頃から始まるアートの長い歴史はどのようなもので、ピカソという作家はその流れの中で、どの立ち位置なのか？
・スペイン南部のマラガ出身のスペイン人であるピカソの民族性は、作品にどう影響しているのか？
・第二次世界大戦中にパリで暮らしていたピカソは、フランコ独裁政権に自由を奪われた母国を、どう捉えていたのか？
・ナチス・ドイツに空爆されたゲルニカの街を、どのように考えて、この作品を描いたのか？

これはあくまで、〝思考の土台〟にすぎません。単に知識を身につけるのではなく、**「なぜ、どうして、どんなふうに」と考え、「自分」というフィルターを通して見る。そのうえで「自分なりの問い」を導き出して、歴史的背景や民族性、人間性などの「世界観」を読もうとする**のです。

それは「人間の尊厳とは何か？」という深遠な問いかもしれませんし、「もしピカソが今も生きていて、母国がサイバー戦争に巻き込まれたら、どんな絵を描くか？」というシミュレーションでもいい。自分なりの問いは、どんなものでも構いません。アートから問いを抽出し、その答えを考えていくわけですが、クイズではありませんから答えがなくてもいいのです。

大切なのは、作品とじかに対話して、自分なりの問いを発し、考えを深めていくことです。そのトレーニングで、世界のビジネスエリートが身につけている教養が育っていきます。

また、アートには国境も民族も関係ありませんが、「世界のアート＝ヨーロッパのアート」と解釈されてしまうことが多いのも現実です（実際には世界各地にアートがあるので、本書ではそれらを取り上げます）。アートの歴史の多くはヨーロッパのアートの歴史でもあり、前述した哲学とキリスト教に深く関係しています。

こうなると、異なる文化で育っている日本人は、「世界では知っていて当然の前提」がすっぽり抜け落ちていることも多いので、補っておくほうがいいと考えています。

芸術系の大学で教鞭をとりつつ、グローバルリーダーシップを研鑽《けんさん》してきた立場として、また元外交官として、私が30年あまり培ってきた芸術、哲学、宗教と民族の知見を交えて、重要な前提を本書でお伝えします。

私は、諸外国に出かけるときはもちろんのこと、日本も含め年間で100回ほど美術館や博物館に足を運んでいます。演劇や音楽などのパフォーミングアーツには、年間50回ほど触れることを目標にしています。

わざわざ美術館に足を運ばなくても、在宅でもアートに親しむ方法はたくさんあります。巻末付録として「アートに親しむための7つのTIPS」ものせていますので、アートによって心のゆとりをもつヒントにしていただければ幸いです。

私は現在、兵庫県の芸術文化観光専門職大学で教えており、講義では「世界のアートから見える世界情勢」を取り上げていますが、時に奇想天外な発想をする芸術系の学生から、多くの気づきをもらっています。そしてアートとは本来、「正しい」も「間違っている」もない、自由なものだと改めて思うのです。

本書の目的は、世界各地のアートを素材として、激動する世界をさまざまな観点から考察することであり、アート作品の特徴を概観することではありません（そのような内容も一部含まれていますが）。

また、あらかじめお断りしておきたいのは、芸術に関する学位をもっているとはいえ、私はアートの専門家ではないということです。したがって本書では「アートの正しい解釈」を述べるのではなく、世界97カ国を回った中で、元外交官のビジネスパーソンとして私自身が感じたことや理解したこと、学んだことなどを中心にまとめています。

本書で解説する主なアートは、巻頭の口絵にのせていますので、参照しながら読み進めてください。本文中に登場するすべてのアートがのっているわけではありませんので、気になるものがありましたら、スマートフォンで画像を検索してみてください。

本書をきっかけにアートに興味をもった方は、造詣が深い専門家の良書に触れ、それぞれの探究の旅を始めていただきたいと考えています。

世界のエリートたちの共通認識としてのアートを知り、その魅力に気づき、活用してくださる人が増えれば、著者としてこれほど光栄なことはありません。

２０２４年１月

山中俊之

「アート」を知ると「世界」が読める／目次

構成　青木由美子
DTP　美創
著者エージェント　アップルシード・エージェンシー

第1部 理解すると視野が広がる、アートの基本

教養としてのアートを身につけるために、ゼロから学ぶ必要はありません。今さら聞けない「教養以前の基礎知識」を、まずは押さえておきましょう。ビジネスパーソンの視点で「全体像」を把握すると、アートに関する情報が俄然《がぜん》、頭に入りやすくなります。そこで第1部では、アートの効能と日本人がアートを苦手とする理由、そして世界五大宗教とアートの関係をまとめます。

第1章 アートがもつ「3つの効能」

アートはどんなビジネスにとっても有効である

ビジネスパーソンがアートを通して世界を知るには、「基礎の基礎」となる知識が必要です。それは、いわゆる教科書的なものではありません。

国・民族ごとの代表的なアートを紹介していく前に、第1部では次の3点をお伝えしておきます。前提となる知識をもっているほうが、より効率的に理解できるからです。

・アートがどう役に立つか?
・日本人が「アートは苦手」と感じる理由
・世界の宗教とアートの関係

まずは、アートがどう役に立つかについて。

「アートが重要なのはなんとなく理解できました。でも実際には、どう役に立つんですか？」企業研修でアートの話をすると、だいたいこう質問されます。ビジネスパーソンの中でも「アート思考が大切だ」と実践している人もいますが、うまく実務に結びついていないためでしょう。

近くの美術館で展覧会があれば足を運び、「あー、なんだか感性が刺激された。素晴らしかった」と満足して自宅に帰る。しかし、結果として何がどのように仕事に役立つのかよくわからない……。

これは「アートは感じるもの」「感性を磨くもの」と、あまりにも強く思い込んでいるゆえの弊害とも言えます。

アートは確かにダイレクトに感性に訴えかけてきますが、私の仮説では、アートにはビジネスパーソンにとって役立つ「3つの効能」があります。

1　コミュニケーションツール

2　心を動かす

3　思考をうながす

いかがでしょう。多くの人は、2番目の「心を動かす」ばかりに注目しているのではないでしょうか。では、順番に3つの効能を見ていきましょう。

まずは「1 コミュニケーションツール」。ホモ・サピエンスによる最古の〝アート〟は洞《どう》窟《くつ》に描かれたもので、3万～4万年前にさかのぼると言われています。

当時は狩猟と採集の社会。つまりアートは文字より古く、経済よりも政治よりも古い人類の根源的なものだと言えそうです。

洞窟アートの時代、ホモ・サピエンスはネアンデルタール人との生存競争に勝って、他の動植物との関係で優位を確立しました。

「洞窟アートの誕生とネアンデルタール人の滅亡には、何らかの関係があるのではないか」

私は密かにこう推測しているのですが、他の人類や動物とは違うという証が、アートの創作だったのかもしれません。「私たち人間（ホモ・サピエンス）が人間である証」がアートだと言ったら、穿《うが》ちすぎでしょうか？

洞窟アートはまた、「この近くに大きい獲物がいる」というメッセージだったかもしれず、文字誕生以前の情報伝達の役割を担っていたという説もあります。これは前述したように、キリスト教が、文字の代わりに宗教画や教会音楽を用いて布教されたさまと似ています。

またアートは、絵や音楽を介して人々が共通認識をもったり、一体感を得たりすることをうながします。素晴らしい音楽を聴いたとき、聴衆の心が一つになる――これは今も、あちこちのライブ会場やコンサートホールで見られる現象です。

また、「洞窟に獣の絵が描いてある。このへんに、大きいやつがいるようだ」というメッセージを受け取った3万年前の人々は「そうか、だったら狩りができるな！」と、その情報に感謝したかもしれません。そして自分も獲物を仕留めたら、同じように何かメッセージを残していく、そんなコミュニケーションも想像できます。

人は、言葉を通して物事を理解します。母語や日常に用いる言語が違えば、微妙なニュアンスは伝わりにくい。文脈がちょっと違うだけで、異なる形で伝わったり、別の意味で理解されることもあるでしょう。

その点、アートによる伝達は、言語よりわかりやすいとも言えます。

「2　心を動かす」というのは、すでに多くの人が体験していることでしょう。

アートは、感性を刺激して理解や気づきを与えるものです。「心を動かす」というのは、抽象的なようで、非常に大切なことです。なぜなら心を動かされない限り、人は行動を起こさないからです。

荘厳な宗教画でキリストの奇蹟を知ったとき、人々はその美しさに畏怖の念を抱き、心動かされ、その結果として信仰したのだと思います。アートには国境がなく、特定の国や民族を超えて普遍的に心に働きかけるのも、大きな特徴です。

また、仏教・キリスト教と比べれば成立が比較的新しいとされるイスラム教は、その教えの内容が人々を魅了したとされます。一方で、モスクの無限に広がるような美しい装飾、礼拝時間を知らせるアザーンの調べも布教に役立ったはずです。仏像が美術品として心を打つのも同じことでしょう。

「3　思考をうながす」という効能こそ、ビジネスパーソンに最もお伝えしたいことです。

前述したとおり、アートはダイバーシティの先行指標でもあります。また、一つの作品が複雑な歴史的背景をもつことも多く、民族性や政治・経済に関係することもあります。そのため、「世界」を読み解くためのツールとして、大いに威力を発揮するのです。

古今東西のアートで「世界共通の教養」を身につける

日本で生きる私たちが触れる世界についての知識は、ヨーロッパ発祥もしくはヨーロッパ経由のものが多く、情報はアメリカ発が主流です。アートにしても、自国である日本のアートを別にすると、ヨーロッパやアメリカのものが圧倒的に多いといえます。

確かにアートの主流がヨーロッパだった時代は長く、その理由は前述したとおり、アートが哲学やキリスト教と密接にかかわっているからです。

実際、ヨーロッパのアートが歴史的・宗教的に重要なことは事実であり、世界の必須教養ですから、まずはポイントを絞ってお伝えしていきます。

もっとも本書では、アフリカ、中東、アジアなど、その他の地域にも焦点を当てていきます。ビジネスパーソンのための教養であれば、ヨーロッパ以外のアートを知ることは当然のアップデートだからです。

「ヨーロッパ文化が一番進んでおり、その他の文化は劣っている」

これはあきれるほどに差別的な考えで、SNSに投稿したら炎上間違いなし、それどころか会社員であれば解雇を言い渡される可能性さえあります。しかし、ほんの100年ほど前まで、主にヨーロッパでは「文化進化論」の考えがまかり通っていました。

「アフリカやアジア？　ヨーロッパ以外の文化は全部劣っているけど、まあそのうち進化してくるんじゃないの」

極端に言えばこのような考え方で、現代の私たちの感覚からすると、あり得ないほど差別的です。しかし歴史的事実として、このような思想が存在しており、非人道的な支配や植民地化が正当化されていました。

しかし今、アートにおける「ヨーロッパ中心主義」は大きな修正を迫られています。その背景には、「すべての民族・文化には優劣はなく、対等である」という文化相対主義の考え方があります。20世紀に発展した文化人類学の中心的な概念であり、ダイバーシティの実現に向けて欠かせない視点です。

また現在では、イスラム圏での女性の地位のように、特定の文化圏の価値観の中で抑圧されている少数者にも焦点を当てるべきとの意見が高まっています。

たとえば大英博物館やルーブル美術館に、アフリカや中東のアートが収蔵されていることはご存知の方も多いと思いますが、**その一部は植民地時代に略奪されたものであり、「アート返還」の動きは世界的に熱い関心事**です。

新興国では、植民地支配を行った欧米からやってきた支配者の銅像が破壊される動きもあります。このようなアートの〝今〟を理解しておくことも、ビジネスパーソンにとって必須だと言えます。

仮説をもとに思考し、問いかける

世界を大きく変えるとされているChatGPTなどの生成ＡＩは、どのように「問い」を発するかで、引き出せる答えがまったく違ってきます。

事象に対する教養があること、自分独自の仮説があることが、有意義な「問い」を発するための重要な条件です。アートについて民族性や歴史などの教養を身につけたうえで、自分ならではの仮説をもてば、思考訓練となり、問いかける力も身につきます。

「作家はユダヤ人で、この時代に描かれたのだから、このようなメッセージが込められているのではないか？」と仮説を立て、それをもとにじっくりと作品を見る。そこから感じることを、「ああ、すごい絵だ」「感動した」で終わらせず、「このようなメッセージが読み取れる」という思考にまで発展させていくのです。

アートの多くは、人間心理の内省や社会への問題喚起ですから、「人間の差別構造を描いている」というメッセージが読み取れたとしても、容易に「では、どうするか？」という答えは導き出せません。

これは、**価値観が多様化し、答えが出ない時代に注目される「深く思考する」ためのよきトレーニング**。ビジネスパーソンの思考の〝道具〟として、大いにアートを役立てていただきたいと思います。

現代アートをイノベーションにつなげる

アートは観察力を高め、同時に多様な見方、考えたこともない視点を与えてくれます。そしてアートは常に新しさをもたらす〝革命〟であり、時代を動かす力があります。

ピカソやマティスが画期的だったことは、誰もが同意するところだと思います。しかし、今日の私たちが「伝統的な絵画だ」と捉えているセザンヌやモネに代表される印象派も、かつては異端。登場したときは「常識から言ってあり得ない、とんでもなく変なもの！」でした。

その後に登場するアメリカのアートや、便器をアートとしたデュシャンなど、極端な表現をするのが現代アートの世界。森美術館の館長を務める片岡真実さんは、「アートには世界を変える力がある」といった趣旨を述べています（Japan Times, 2022.9.20.）。

そうしたアートは枚挙にいとまがありませんが、たとえばカンディンスキーは、たまたま自分の描いた絵を上下逆に見たことで大転換を遂げています。

「上下関係が大事な具象にこだわる必要はない」

ロシアの画家が受けたこの衝撃が、抽象画誕生のきっかけだったと言われており、逆の視点で見ることでイノベーションが起きる一例です。アートを通じて「こんな捉え方があるのか！」と大いに驚き、感性と思考を思う存分、揺さぶっていきましょう。

現代アートに限らず、アートに対する見方、解釈は自由であり、「たった一つの正解」があるわけではありません。本書では私個人のアートに対する感想や意見を述べていますが、それはあくまで「一つの視点・一つの見方」にすぎません。

「アートを通じて想像力を高め、自由に考えれば、まったく違うものを結びつける新結合《ニューコンビネーション》につながる」

私は企業研修でこのように伝えて、「音楽を聴いて、感じたことを絵に描く」などの演習を実施しています。

ちなみに新結合とは、経済学者ヨーゼフ・シュンペーターが唱えた「イノベーション理論」に登場する概念です。「新たなものを結合して価値の創出方法を変革し、その領域に革命をもたらす」というのがシュンペーターによるイノベーションの考え方ですから、まさにアートそのもの。変革のプロセスで起こるのが「新結合」なのです。

ちなみにアメリカがここ数十年、イノベーションを起こし、GAFA《ガーファ》改めMATANA《マタナ》(Microsoft、Amazon、Tesla、Alphabet、NVIDIA、Apple) といったビックテックを生み続けているのは、アートを通して物事を多角的に見る習慣があるからのように私には思えてなりません。

言葉が通じなくても、伝わる

選挙を見ればわかるとおり、政治の世界は勝つか負けるかのゼロ・サムゲームです。政治に比べれば度合いは減るというものの、経済・ビジネスの世界も「ウィン・ウィン」とは言い難い状況です。

元請けと下請け、資本家と労働者、正社員と非正規雇用者、上司と部下。地方か大都会か、一流大学かそれ以外か。これらは「分断とわかり合えない現実」を拡大しています。

人種やジェンダーによる差別、経済格差など、世界には「私たちと彼ら」という分断の例が多く見られ、悲惨な事件を見聞きするたび、亀裂は広がる一方に思えてきます。

ところがアートには「正解」がありませんから、ゼロ・サムも上下関係もなく、価値観が違っていても認め合える。つまり相互理解を深めるのに、格好の素材と言えます。

言葉が通じなくても伝わるのが、アートの力なのです。

「アートは、共通項を見つけて、そこから関係性を発展させていく、きっかけになるものだ」

これは日本を代表する舞台芸術家の杉山至《いたる》さんのワークショップを受けて、私が感じたことです。

アートには多様な表現があり、異なる価値観を描きながら、同時に共通点もたくさんあります。たとえば弱い者への共感、戦争への怒り、自然への恐れ――これらは多くの民族のアートに描かれる、いわば〝定番のモチーフ〟です。

そう考えると、アートは「人類の共通性」を実感できる素材でもあります。

もちろん「自然への畏怖を描いたアートは、比較的アジアに多い」などの特徴はありますが、アートを通じて国や民族を超えた共通性を発見すれば、共感や協力について考え、行動するきっかけとなるはずです。


また、アーティストの思いがアートを受け取る人の思いとシンクロしたときに、共感を生むとも言われます。アートを通じて私たちは、「一人きりで生きているのではない」ことを知り、癒されることもあるでしょう。

人間と人間であれ、国と国であれ、違いがあるのは当然です。しかし、違いを否定していては、永遠に同じフィールドで協力することはできません。

想像力の欠如が戦争を生み出すのなら、アートを通じて共感する力が生まれることは、平和の実現につながっていく可能性もある。違っているところと同じところを、同時に発見できる。

これはアートの美しい包容力と言っていいでしょう。

日常に「精神的なゆとり」を取り入れる

絵画に向き合っているとき、音楽に浸っているとき、たとえ5分であろうと、それは〝非日常〟です。忙しい仕事の合間、たまたま駅前に展示されていた立体作品を見かけて、心が動く。その瞬間、車の音も行き交う人々も消え、多忙な現実から離れることができます。

ゆとりが生まれた心は、アートが投げかけてくるさまざまな問いを受け止めることができる。そこから自由な思考が始まります。たとえ15分後にはオフィスに戻り、めんどうな会議に出席しなければならないとしても！

アートに触れることで、精神的なゆとりが生まれます。精神的なゆとりがプライベートにもビジネスにも不可欠であることは、改めて述べるまでもありません。

美術館は閉館に追い込まれ、コンサートが中止になったコロナ禍、イタリア北部のクレモナで、日本人バイオリニストの横山令奈さんが演奏をしたという記事がありました（朝日新聞2020年4月19日）。

聴衆は医療関係者と患者たち。舞台は病院の屋上というのは、まさに〝屋根の上のヴァイオリン弾き〟です。300年前のバロックの巨匠ヴィヴァルディの〈四季〉が、つらい現実に直面している人々の心に、違う世界を描き出すきっかけをつくった——。

「演奏家は、人の心に直接語りかけられるからこそ、いま何ができるのか、考えてきた。マイナスなことを考えてもきりがないが、生の音楽が人の心に響き、少しでも勇気をもってもらえたらうれしい」

横山さんの言葉は、**アートが精神的な豊かさの根幹であること**を教えてくれた気がしました。

コロナ禍のような特殊な状況でなくとも、私たちの日常は慌ただしく、喧騒にまみれています。静けさは感性を磨くためにも、深い思考をするためにも不可欠で、ビジネスエリートはそのためにアートを活用するのです。

リモートワークの普及などもあり、無意味な残業やサービス残業は多少減りました。しかし、ワーク・ライフ・バランスとは、単に労働時間の短縮だけではありません。短縮されて生まれた時間に、家族との時間や休息をとる。それに加えて、自分自身と静かに向き合う時間をとることが、ビジネスのためにも、その基盤となる個人の成長のためにも大切なのです。

日本には都心だけでなく、地方にも素晴らしい美術館がありますし、短い時間でもアートに接する機会をつくる方法はたくさんあります。

実際に絵を見ながら、共に考えを深めていく前に、日本人が誤解しがちな2つの点について解説します。これらの誤解が解けると、アートに対する興味が確実に増すはずです。

第2章 日本人が抱く、アートへの「2つの誤解」

「学域を超えて学ぶ」ということ

イギリス・ケンブリッジ。ロンドンの中心地キングス・クロス駅から電車で約1時間の緑豊かな学園都市です。世界中から学生が集まるケンブリッジ大学では、その多くが「カレッジ(学寮：college)」に住んでいます。

こう聞いて、「ふーん、海外の大学にはたいてい学生寮があるよね」と流してしまうと、見落とす点があります。

ケンブリッジ大学やオックスフォード大学にはイギリス独自の「カレッジ（学寮）制度」があり、街の至る場所にカレッジと学部の建物が点在しています。そのため物理的に塀などで囲われた「ケンブリッジ大学のキャンパス」は存在しません。学生は入学すると、専攻する学部とは別に、カレッジを選びます。

ケンブリッジ大学にはキングス・カレッジをはじめ31のカレッジがあり、物理学専攻の学生と哲学専攻の学生が同じカレッジというケースも珍しくありません。

１１１７年創立のオックスフォード大学や１２０９年創立のケンブリッジ大学では、かつて教授も学生も皆カレッジに住んで寝食を共にしながら、学域を超えて学んでいました。

今では全員が寮としてのカレッジに住んでいるわけではありませんが、「学域を超えて学ぶ」というカレッジの伝統はしっかりと残っています。

学域を超えて学ぶことは、リベラルアーツにおいて大変に重要な点だと思います。

世界の大学では、リベラルアーツは必修科目

分野を横断した基礎知識・教養を指す「リベラルアーツ」という概念が日本のビジネスパーソンの間で特に注目されるようになったのは、ここ10年ほどのことですが、その起源は古代ギリシア・ローマ時代。イギリスのカレッジ（学寮）はその流れを汲んでいますから、今日もリベラルアーツがごく当たり前に日々に溶け込んでいます。

私が幸運にもケンブリッジ大学大学院で学ぶ機会を得たのは、１９９０年代のこと。慣れないブリティッシュ・イングリッシュの授業と読むべき膨大な文献やレポート作成に忙殺されながらも、夕食会やパブの集まりに連日のように参加しました。

学友たちとコミュニケーションをとり、ビールのおいしいパブで試験やレポートの大変さについての話に興じた——そんなこともありましたが、ある程度深く話すときの話題の多くは、いわゆる〝日本の大学生の雑談〟の対極にありました。

「宇宙における人類の存在には、どんな意味があるのか」
「シェイクスピアの文学は、現代の我々にどんな示唆を与えるのか」
「人種差別をなくすには何をすべきか」

三度の食事に加えて午後のコーヒーや夜のパブで、おもむろに議論が展開されます。あらゆるテーマを俎上《そじょう》にのせて思索を深める様子を目《ま》の当たりにし、私はカレッジ生活について知識として知っていたとはいえ、すっかり圧倒されてしまいました。

「学生たちはみな、歴史や哲学の知見も踏まえながら、世界の出来事に関心をもっている。自分の意見を言わないと生きていけない世界だ」

ひたすら感心していると、「トシ、君はどう思う?」と、すかさず意見を求められます。意見どころか知識すらなくて、答えられないことばかり。特に無知を痛感した分野が2つありました。

一つは、自然科学の分野。

ケンブリッジは自然科学に強く、100人程度ものノーベル賞受賞者を輩出していますから、専攻が異なる学生でさえ、天文学や獣医学についてもどんどん意見を述べていきます。自分がいかに偏った学びをしてきたかを思い知らされました。

そして、もう一つがアートの分野。

「ベートーヴェンは、ヨーロッパの市民社会の形成にいかに貢献したか」

「シャガールの絵から読み取れる、ユダヤ教の本質とは」

「〈カルメン〉が描く社会の矛盾は、現代と共通するのか」

これらについて、みんな相手の発言をさえぎる勢いで語りまくり、ぬるいイギリスビールをちびちび飲みながら、滔々《とうとう》と持論を述べます。

豊富な知識を伴った説得力ある発言もあれば、「ラディカルにも程がある！」という突拍子もない発言もありましたが、とにかく誰もが自分の意見を述べているのです。

自然科学であれば「私は文系だし、細かい数字や物理の理論はわからない」と言って逃げることも可能かもしれませんが、アートはそうはいきません。

「えっ、アートに関係ない人なんて、いないよね？」

そんな雰囲気が濃厚に漂っており、まさに学域を超えた関心事。リベラルアーツの中では、アートが大きな共通理解の基盤なのです。私は肩身を狭くしながら、「知らないと恥をかく」と必死に参考文献を探して、アートの〝自習〟をせっせとしていたことを思い出します。

その後、30年以上が経過しました。美術館やコンサート、オペラ劇場に行く頻度を増やし、古典などを読みましたが、いまだ学びの途中です。

ゴールは見えませんが、むしろ学びの必要性は増していると感じています。なぜなら**時代が激変するときには、一つの専門では到底追いつけない**。その意味で21世紀の現在は、まさに〝リベラルアーツの学びどき〟であり、〝アートが必修科目〟だと思うのです。

そもそもアートとは何か

ところで、今さらながらアートとはなんでしょう?

定義はまちまちで専門家の意見も分かれていますが、「アート＝芸術」とすると、単に作品のことだけでなく、幅広い概念を含んでしまいます。そこで本書では、絵画を中心に音楽、演劇、文学などの作品をすべて「アート」と呼ぶことにします。

さらに「アーティスト」というと現代的な表現に感じられ、ルネサンス期のイタリアのラファエロのように「画家、芸術家」と呼んだほうがしっくりくる人もたくさんいますが、原則的に「アートを創り出す人＝アーティスト」で統一して話を進めていきます。

第2部からは、地域や民族ごとにアートおよびアーティストについて述べながら、第1章であげた5つのポイントを説明していきますが、その前に「なぜ、日本人はアートに距離を感じてしまうのか」を明らかにしておきましょう。

アートへの2つの誤解がその要因だと、私は考えています。

日本人が抱くアートへの誤解①　アートは「感じるもの」

そもそも、なぜ日本ではアートが特別なものとして切り離されてしまったのでしょう？

「哲学が抜け落ちているためだ」というのが私の仮説です。

芸術、哲学、愛。これらの言葉が明治以降に輸入された翻訳語ということは、よく知られています。奈良時代の文献に、意味合いは今と若干違うものの「音楽」という言葉があり、江戸時代には「絵画」「歌舞伎」「文学」という言葉がありましたが、**これらをまとめた「芸術」という概念は、明治まで存在していませんでした。**

日本人の思考パターンや精神風土に「芸術」や「哲学」はいまだ馴染んでいないと感じます。

自由民権運動で大きな役割を果たした明治時代の思想家・中江兆民は、著書『一年有半《ゆうはん》』にこう記しています。

「我が日本、古《いにしえ》より今に至るまで哲学なし」

病を得て死に直面したときの論考ですが、同書で中江はさらに「本居宣長は古文を研究するだけの文化の研究者にすぎない。天地万物の普遍的な本質は少しも明らかにしていない」と、かなり辛辣なことを述べています。

1901年の言葉ながら、「知識を詰め込んだだけで、自分の考えになってないよね?」という意見ですから、今の暗記型教育への批判と同じです。

個人的には、「日本に哲学はないかもしれないが、仏教には哲学的な要素がある」と反論したいところですが、もともと「古代ギリシアの哲学者が、宇宙と地球、社会が何でできているのかを考察したように、根源的なところから考えて言語化する」という要素が日本人に乏しかったことは間違いなさそうです。

一方で日本人の感性の豊かさは西洋の人々を驚かせるもので、1871年に来日したオーストリア人男爵アレクサンダー・ヒューブナーはこんなことを述べています。

「ヨーロッパの感性は教育によって育まれるものだが、日本人は生まれながらに自然を愛でる感性をもっている。ヨーロッパの農民は畑の肥沃さや水車の水量にしか興味がないが、日本の農民は開け放たれた簡素な部屋で、雨の涼しさを味わう喜びを知っている」

小泉八雲《やくも》やドナルド・キーンが日本文化に魅せられたことや、欧米における茶の湯や浮世絵の高い評価を彷彿とさせます。スティーブ・ジョブズが日本の絵画に感服した逸話にも通じる話で、ヒューブナー男爵の言葉は「芸術の中心地・ウィーンの貴族のお墨つき」とも言えますから、日本人としては誇っていいことでしょう。

ところが皮肉にも、「生まれつきの優れた感性」には、ちょっと困った弊害があります。「天才に家庭教師を頼んではいけない。体系化せず感覚でわかってしまうから、人に教えるのは下手だ」などとよく言われるのと同じです。

名もなき農民でも自然の中に美を見出すほど感性に優れた日本人は、感じるままで終わらせてしまう。つまり、感じたことを言語化したり、そこから思考を深めたりすることが苦手なのではないか――私にはそう思えてならないのです。

現実として、ビジネスリーダーのための研修の一環で「これから著名なクラシックをかけます。聴いて感じたことを絵にして、それを言葉で説明してください」という課題を出すと、みんな頭を抱えてしまいます。

「絵は下手だから、ちょっと無理です」

「それがどうグローバルビジネスに関係するのかわからない」

完成した絵を見ると、中年男性が髪をかきむしっています。確かに流した曲はベートーヴェンの交響曲第5番ハ短調〈運命〉なのですが、その絵は聴いて感じたものではなく、〝クイズの答え〟のようなものです。

「では、絵の説明を」とうながすと、「重々しい感じで、ジャジャジャジャーン！」と答える人さえいた――これでは笑い話になってしまいます！

絵画、音楽、文学などの感想を求められると、多くの人が自分の意見ではなく「知識」を披露する。あるいは「よかったです、感動しました、涙が出ました」という言葉でまとめてしまう。中には「じーんときました」「キュンキュンしました」などと擬音語や擬態語で終わってしまう人もいて、知的であるはずのビジネスパーソンも例外ではありません。

これは、日本人がいまだに感性に長けているがゆえのジレンマに陥り、「アートは感じるもの」で終わっている・例だと思います。

日本人が抱くアートへの誤解② アートは「上手な人のもの」

明治時代に西洋から輸入された「art」という言葉は一般に「芸術」と訳され、美術と技術が一体化したものでした。もともとの「アート（アルス）」も、プロローグで述べたとおり、非常に幅広い分野をカバーしていました。

ところが日本語に翻訳・翻案されたのち、工学的な部分が「技術」、装飾的・美的な部分が「芸術」と呼ばれるようになっていきます。その結果、アートのハードルは非常に高くなり、「特別な才能をもった人だけのもの」という誤った認識が広まってしまいました。

その一例が、「私はアーティストです」と名乗ったときの反応です。日本では著名人でない限り冷ややかな目で見られますし、「自称アーティストです」などと照れたりします。

しかしヨーロッパでは、定年退職後に絵を描いている人が「私はアーティストです」と自己紹介しても、特別な反応はありません。言うほうも聞くほうも、ごく普通です。

音楽でも絵画でも、それで生計を立てていない人は、アーティストと名乗ってはいけない、そんな息苦しさがあるのは日本だけかもしれません。

「アート＝手の届かない素晴らしいもの」となってしまった結果、日本の学校におけるアート教育は次のように両極端になってしまいました。

・アートの歴史や意味、アーティストの人生については、世界史の一部、あるいは美術の授業として少しだけ学ぶ
・アートの技巧を学び、音楽の演奏、美術の創作など「実践」に重きを置く

前者は「アートは手の届かないもの」という観念から生まれた教育スタイルでしょうし、後者は「感性に優れ、手先が器用」という日本人の特性も影響しているでしょう。

その結果、私たち日本人から「アートに接したら、感じるだけでなく、考える」という重要なプロセスがすっぽり抜け落ちてしまったのかもしれません。

海外の美術館に行くと、子どもたちを見かけることがあります。

本書の取材を兼ねてウィーンの美術史美術館を訪れた際も、小学校低学年くらいの子どもたちが名画の前の床に座って、先生の説明にじっと耳を傾けている姿を目にしました。

日本でも遠足なのか授業なのか、美術館に子どもたちがいることはありますが、多くの場合は名画の模写をしています。ヨーロッパの子どもも模写はするのですが、日本の図画工作、もしくは美術の時間は、「手を動かす」作業に重きが置かれているようです。

手先の器用さや、ものづくりの伝統は日本の長所ですが、技術である以上、得手・不得手があります。その結果、「絵が上手な子、楽器が弾ける子、歌がうまい子にしか、アートは関係ない」という風潮が生じたのではないか――こんな仮説も成り立つように感じます。

そして「上手・下手」というのは、一定の基準をもとに判断されてしまいます。

しかし**「アートは思考をうながすものだ」と考えれば、そこに上手も下手もありません。**
〝考える葦《あし》〟である人間は誰一人として、考えるためのアートに無縁ではないのです。

作品そのものから感じ、考えられるか

「アートを通して、正解のない問いに取り組む」

これは1980年代にニューヨーク近代美術館（MoMA）教育部部長を務めたフィリップ・ヤノウィンらが開発した子ども向けの美術鑑賞法で、「ヴィジュアル・シンキング・カリキュラム（VTC）」と呼ばれています。誰の作品か、どんな背景かなどの解説を見ることなく、作品そのものから感じ、考える。

この手法は、ヤノウィン氏の著書『学力をのばす美術鑑賞』（淡交社）に紹介されていますが、最近は「ヴィジュアル・シンキング・ストラテジーズ（VTS）」として発展し、ビジネスパーソンにも「アートで思考するメソッド」として注目されています。

日本ではビジネスパーソン向けの研修や一部の大学で行われているVTSですが、ヨーロッパ、アメリカだと学校の授業に取り入れられているようです。

その一例をあげれば、フランスでは2009年までに、「芸術史（Histoire des Arts）」が小学校、コレージュ（中学校）、リセ（高校）の必修科目になりました。「学習意欲の開発と好奇

心」「観察力と理解力の開発」などを目的に、フランスを中心としたヨーロッパの美術史を学びます。

また私自身、アートが社会に直接役立っている割合も極めて大きいと感じています。

たとえば、先日訪問したドイツの人口11万程度の小都市トリーアでは、街の中心地にある劇場で連日演劇が催され、市民は観劇後周辺のオープンカフェ形式のレストランに集って、観劇の感想を話すディナーを楽しんでいます。アートが人々の生活の中心に位置して、街の活性化に役立っているのです。

劇作家の平田オリザさんによれば、ヨーロッパでは、所得が低い層に演劇を楽しんでもらうことで、日々の暮らしを前向きに捉えて貧困から脱するようにする政策が奏功しているそうです。

仮に日本で生活保護受給者に演劇チケットを配る政策が導入されると、「贅沢《ぜいたく》だし、税金の無駄使いだ」と批判が起きるのではないでしょうか。

政策的な費用対効果は考える必要はあるのですが、貧困から脱することにつながるのであれば、大いに導入の意味があると私は思います。

このように、アートにまつわる誤解を捨てれば、日本人はもっと異なる視点でアートに接し、**もともともっている感性というアドバンテージを活かした「新たな思考法」と「ものの見方」**

を身につけられると思うのです。

前置きが長くなりましたが、次章から世界のアートについて詳しく見ていきましょう。

第3章 アートを〝西寄り〟にした世界五大宗教

アートの理解には「宗教」が不可欠

日本人が「アートは苦手」と思っている理由に2つの誤解があることは、第2章でおわかりいただけたと思います。それには、アートがヨーロッパの影響を強く受けていることも関係しています。

なぜそうなったのか——答えの一つは、キリスト教にあります。ビジネスパーソンとしての教養を深めるためにも、世界の宗教とアートの関係を見ておきましょう。

アートに限らず、今日の世界の共通ルールの多くは〝西寄り〟であり、誤解を恐れずに言えば、何が美しいかという「美の基準」も、西洋中心となっています。

だからこそ、「必要最低限、アートの歴史を押さえておきたい」というビジネスパーソンは、キリスト教と（キリスト教と関連が深い）ユダヤ教の歴史も知っておくと役に立ちます。

キリスト教は西洋文化の根底にあり、2000年の歴史と20億人あまりの信徒がいます。そして、近代以降の世界を先導した宗教の影響力はアートにもおよんでいます。

もちろん、アートは最初から〝西寄り〟だったわけではありません。

第1章で述べたとおり、ホモ・サピエンスの歴史と共に始まった最古の作品は洞窟アートであり、3万〜4万年前にさかのぼると言われます。当時は狩猟と採集の社会。つまりアートは、経済よりも政治よりも古い人類の根源的なもので、西も東もありませんでした。

同じく人類の根源的なものと言えば宗教で、私は時折「ホモ・サピエンスが〝地球の覇者《はしゃ》〟となれたのは、アートと宗教があったからかもしれない」などと考えたりします。

また、「ネアンデルタール人など他の人類を滅ぼした罪悪感と余裕が、アートと宗教を生んだのか？」という仮説を立てて考察するのも、なかなか興味深いものです。

これらはニワトリと卵の問答のようなもので、世界のビジネスエリートと議論する際の格好のテーマなのですが、「人類にとって宗教とアートは重要なものだ」という点に異論を唱える人は少ないのではないでしょうか。

そんな宗教は今日の〝世界の常識〟のベースとなっており、たとえば「1週間＝7日間」となったのは、ユダヤ教、キリスト教、イスラム教の3つの宗教の「神は6日間かけて天地を創造した」という教えからくるもの。

ポスト・コロナの今、リモートワークの普及によって「週休2日は当たり前。週休3日はどうか？」と検討する企業も出てきましたが、もともと「週の1日が休み」とされてきたのは、3つの宗教に「天地創造ののち、最後の1日を安息日とした」とあるためです。

また学校で習ったように、私たちが何気なく使っている紀元前・紀元後は「キリスト誕生以前・以後」を意味します。

ご存知の方も多いと思いますが、五大宗教とは、以下の5つです。

- ・ユダヤ教（紀元前13世紀～同9世紀頃から〈諸説あり〉）
- ・ヒンドゥー教（バラモン教として紀元前13世紀頃から〈諸説あり〉）
- ・仏教（紀元前6世紀から〈諸説あり〉）
- ・キリスト教（紀元1世紀から）
- ・イスラム教（紀元7世紀から）

このうち、ユダヤ教、キリスト教、イスラム教の3つには、全知全能の唯一の神を信じる「一神教」であるなど、共通する教えが多くあります。

たとえば、紀元1世紀に誕生したキリスト教はユダヤ教の聖典を出発点にして生まれたもので、ユダヤ教の「ヘブライ語聖書」はキリスト教の「旧約聖書」。リンゴを食べて楽園を追われたアダムとエヴァ（イブ）の「失楽園」など、基本的な物語も共通しています。

また、この2つの宗教の要《かなめ》である、全知全能の唯一神が世界を創造したという「天地創造」は、イスラム教の教義の要でもあります。

ユダヤ教はやがてユダヤ人の民族宗教となり、キリスト教は「この世に生きる全人類をキリスト教徒にする」という考えのもとに世界宗教となっていきますが、**後世において布教の際、戦略的に用いられたのがアート**でした。

ユダヤ教の起源はキリスト教と共通部分があるため、両者のアートにも共通するテーマが多くあります。たとえば〝20世紀最大のユダヤ人アーティスト〟とも評されるシャガールは、ユダヤ教をテーマにした作品を多く残していますが、カトリック教会であるフランス・ランスのノートルダム大聖堂のステンドグラスを手掛けています。ユダヤ人であっても、キリスト教の教会を飾るアートの創作には積極的だったのです。

天地創造やアダムとエヴァ、ダビデ王などキリスト教における旧約聖書の話は、両宗教における共通のモチーフにもなっています。

ヒンドゥー教とキリスト教の大きな違い

キリスト教（ユダヤ教）とアートの関係に入る前に、それ以外の宗教とアートについても見てみましょう。ユダヤ教やキリスト教などの一神教と違い、**多神教であるヒンドゥー教と仏教にも共通点が多くあります**。

私は仕事の関係でインド人と話す機会がありますが、彼らの多くはヒンドゥー教徒。そのため、「日本人は仏教徒だから、私たちは同じ宗教だよね！」とインド人からざっくりまとめられることが珍しくありません。

確かに源流を辿っていけば、どちらもバラモン教に行き着きます（ちなみにヒンドゥー教では「日本人の言うバラモン教とは古いヒンドゥー教」であるとされ、「バラモン教」という解釈はありません）。それでも高野山大学大学院で仏教思想と比較宗教学を修めた身としては、「えっ、同じというのは、さすがにざっくりしすぎでは……」と感じます。

色鮮やかでゾウの頭部までもつ神々が登場するヒンドゥー教は、そもそも一般的な日本人の感覚としても「よくわからない不思議なもの」かもしれず、「私たちは同じ宗教だよね！」と言われても、やや困惑するのではないでしょうか。

しかし、この鷹揚《おうよう》なところこそ、ヒンドゥー教らしさです。信徒数でいえば、およそ11億人、信徒数は世界第3位。歴史も不詳とはいえ古くから成立していることは確かなのに、どこか混沌としています。いつ、どうやってまとまったかが曖昧、聖典は宇宙の真理を追究する素晴らしいものなのに、数が膨大すぎて研究者にさえ把握しきれない。

このような特徴をもつヒンドゥー教ですから、「イエスは神の子である。アートと説法で魂を揺さぶって全人類を信徒にしよう！」という信念のもと、組織的に布教したキリスト教とは姿勢が大きく異なります。

同じヒンドゥー教徒でも、「ふーん、あなたはシヴァ神を信じてるの？ そうだよね、人気だもんね。でも私はガネーシャなんだ」という具合に、信仰する神も違えば、詣でる寺院も異なります。

だからといって、「シヴァ派VS.ガネーシャ派のバトル」が起きることもなく、共存していま す。時に武器をもって異教徒や異端者を迫害する激しさがあったキリスト教とは対照的です。

「偶像崇拝禁止」を厳守したイスラム教

では、イスラム教はどうでしょう。ムスリム（イスラム教の信徒）は、現在およそ15億人以上。これは中東のみならずアフリカ、アジア（特に多いのはインドネシアやパキスタン、インドやバングラデシュ）、ヨーロッパと世界中に広まっているためで、21世紀には影響力をより増すであろう世界宗教と言えるでしょう。

成立は7世紀と五大宗教の中では新しいこともあり、明瞭な文章として残るイスラム教の聖典「コーラン」の教えは極めて明確な指針。イスラムの教えを法律やビジネスに敷衍《ふえん》している国もあるほどです。

ごく一部の原理主義者が過激なテロ犯罪を行ったことで「イスラム教は恐ろしい」と決めつける人もいますが、実際は合理的かつ平和的。世界で信徒が増えたのは、さまざまな異民族が交易を通じてイスラム教を知ったことが一因とされています。たとえば「素晴らしい教えだな」と感じて、自然と改宗する形が珍しくなかったのです。

インドネシア、マレーシアなどアジアにも信徒が多いことから、イスラム教の戒律や、それに沿う生活習慣を学ぶことは「ビジネスに必須」と捉えている日本企業も多くあります。

一方で、イスラム教のアートが世界のアート市場で大きなウェイトを占めることはなかったのはなぜか？　理由はシンプルで、偶像崇拝を固く禁じているため。

「絵画や彫刻になった偉人を、神と混同したら大変だ。偶像崇拝はダメ！　絶対にダメ！」

ユダヤ教・キリスト教にもこの厳しいルールは共通していたのですが、ローマ・カトリック教会は、「主の教えをあまねく広げる」という大義のもとに、あっさり「まあ、いいか」とルールを手放しました。**この思い切りのよさは、結果としてキリスト教が全世界に広がるきっかけとなり、宗教画など数限りないアートを生み出すことになります。**

その点、イスラム教はルールに厳格でした。マッカ（現在のサウジアラビア）で生まれた40

歳頃のビジネスパーソン・ムハンマドが神の声を聞き、預言者となってイスラム教は始まりますが、それ以前のアラビア半島には多くの神々がいました。

イスラム教ではイスラム教成立以前を「無明《むみょう》時代」と呼びますが、その頃に制作され、カーバ神殿に祀《まつ》られていた像はすべて「邪教だ！」として破壊されています。

イスラム社会では今日もなお偶像崇拝禁止のルールは守られていますが、政治家や芸能人の写真が飾られていることもあり、厳格さについては微妙なところです。私は外務省時代にサウジアラビアに赴任していた経緯もあり、日本人としては比較的多くのイスラム教の国を訪れていると思いますが、〝ルール違反ナンバー1〟の国はシリア。独裁者・アサド大統領（父）の写真が、イヤというくらい、街の至るところに溢れていました。

「まさに強権的政治の極致だ」とあきれたのですが、あるアーケードなど写真があまりに多すぎるために、顔ではなく全体で一つの模様のように見え、威厳どころではなく、内心で笑ってしまいました。

詳しくは第9章で述べますが、イスラミック・アートの幾何学文様などは素晴らしいもので、世界のアートに多大な影響を与えています。

また、カリグラフィーの美しさは書道と並んで卓抜したものとなっています。

第4章 西洋の〝美的感覚〟は、古代ギリシアとキリスト教から生まれた

「アート＝キリスト教のSNS」だった

「アートの歴史を押さえるには、キリスト教の歴史も知っておきましょう」

ビジネスパーソン向けの研修でこの話をすると、「そうか、キリスト教を学ばないと、アートはわからないのか」とがっかりする人もいるのですが、ここは発想の転換で、「アートを通して、キリスト教が簡単に学べる」と考えることもできます。

なぜなら、キリスト教、特にその中でもカトリックが世界中に広まったのは、一般の庶民にもわかりやすく教えを説明したため。そのわかりやすさのツールこそ、アートでした。

西洋において読み書きが一般庶民に広まったのは17～18世紀のこと。江戸時代だった18世紀の日本の識字率の高さは世界随一とも言われますが、これは庶民も読み書きを習うことが一般

化していたから実現できた、非常に稀なこと。

一方で、「庶民は字が読めなくて当たり前」という教育格差があるのがヨーロッパでした。16世紀に登場したプロテスタントは各国の言語で書かれた聖書によって布教されましたが、それ以前のキリスト教と言えば、カトリックと、ロシアや東欧地域で広がった正教会。ただでさえ識字率が低いうえに、その頃の聖書は外国語とも言えるラテン語で書かれていたため、読めるのは司祭など一握りのエリートだけでした。そこでカトリック教会が音楽や絵画を用いて教えを広めたことが、今日の西洋アートにつながっていきます。

つまりキリスト教におけるアートは、「なんかすごい！ 美しくて尊くて、そしてわかりやすい」と人々の心を動かし、「ものすごくいいから、ほかの人にも伝えたい」という行動に駆り立てる、いにしえのSNS。**重厚な宗教画は、よくよく見ると「絵で描かれた物語」であり、定番のモチーフがあります。**

たとえば、神が6日間かけてすべての生物と天と地をつくったという、創世記にある「天地創造」のストーリー。これはキリスト教において極めて重要なテーマで、ミケランジェロの〈アダムの創造〉にも描かれ、これらのモチーフは現代アートでも取り上げられています。

旧約聖書に登場する預言者や聖人たち（モーゼやアブラハム、ダビデ王など）も多く描かれていますが、中心となるのは、やはり神の子イエス。イエスがどう誕生し、どんな生涯を送って復活という奇蹟を遂げたかも、アートを見ればおおまかに把握できます。

次は、イエスの生涯でよく取り上げられるアートのモチーフです。

1 **誕生**：天使ガブリエルが処女マリアに、「あなたは神の子を宿しましたよ！」と告げにくる「受胎告知」。
2 **幼少期**：聖母マリアが幼な子イエスを抱いている「聖母子像」。
3 **活動期**：「善きサマリア人」「山上の垂訓《すいくん》」などイエスが説いた説法。
4 **晩年期**：イエスが裏切り者のユダの密告で逮捕され、ユダヤ教の指導者に罪人として責められる「審問と逮捕」。
5 **磔刑《たっけい》**：ゲッセマネの丘に行ったイエスが「受難から解放してください」といったん祈るものの、「やっぱり受け入れます」と決意（ゲッセマネの祈り）。パンとワインで弟子である十二使徒と食事をしながら教えを残す「最後の晩餐」。十字架にはりつけられる「磔刑」で死を迎え、埋葬される。
6 **復活**：埋葬後3日目、死者の中から甦り、「復活の奇蹟」を遂げる。

これらはミケランジェロ、レオナルド・ダ・ヴィンチ、ボッティチェリなどなど、西洋アートの超メジャー級の画家たちに、何世紀にもわたって繰り返し描かれていますが、現在でもイエスやキリスト教は、絵画の最大のモチーフとなっています。

「善きサマリア人」について教養ある会話を楽しむ

もちろん、今あげたイエスの生涯はごく簡単なまとめですし、聖書の教えは多岐にわたりますが、磔刑と復活にまつわるアートをいくつか見ていくだけで、キリスト教のかなりの部分が、理屈でなく感覚的に理解できます。

なぜなら「イエス・キリストは、死後3日目に復活した」と聖書で読んでもピンとこないのですが、復活を描いたアートを見ると、より深い部分で伝わるものがあるからです。

たとえば、16世紀から17世紀初頭の画家エル・グレコの〈キリストの復活〉（口絵1ページ参照）はルネサンス後期に描かれました。ギリシャ（クレタ島）出身で、スペイン・トレドで活動した彼の作品は、とてつもなく力強い。

プラド美術館で実物を見たときは、凛々《りり》しく復活したイエスの姿を、安堵と霊性と共に受け入れた当時の人々の思いが感じられ、しばらくの間、目が離せなくなりました。

同時に、キリスト教が２０００年も継続して、なぜ20億人あまりもの人々に広がっていったのか、イエスのその圧倒的な存在感から、キリスト教の本質の部分が理解できる気がしました。

また「善きサマリア人」は、新約聖書の「ルカによる福音書」にある思いやりや隣人愛を伝える訓話で、多くの画家が描いています。「善きサマリア人」は、英語メディアや欧米人との会話にも盛んに登場するので、絵画を通じて、よく理解しておくといいでしょう。

旅の途中、強盗に襲われた人の前を、祭司、レビ人、サマリア人が通りかかります。レビ人と祭司は見て見ぬ振りで通りすぎたのに、サマリア人は手厚く介抱した――バロック期を代表するオランダの画家レンブラント・ファン・レインは、怪我人を馬に乗せて宿屋に運び込むサマリア人の姿を「紀元1世紀の聖書の物語」というより、「17世紀の風景に溶け込んだ一場面」のように、**〈善きサマリア人〉**（口絵2ページ参照）において巧みに描き出しています。

温かみをもった色使いによって、見る人に思いやりの心を訴えかけているようにも感じます。

19世紀になるとフランス・ロマン主義を代表するドラクロワが〈善きサマリア人〉を描いていますが、こちらは人物と馬が中心で、何よりサマリア人は、彼の得意とした「赤」が際立つ民族衣装を着ています。

そして〝耳きり事件〟の後、落ち込んでいたフィンセント・ファン・ゴッホは、ドラクロワなどの作品を模写する中で〈**善きサマリア人**〉(口絵3ページ参照)を制作。ドラクロワと構図は同じですが、左右が反転しており、何よりも「青」が目立つ色彩やタッチが、まさしくザ・ゴッホ！ 思わず行動を起こして、誰かに親切なことをしたくなってきませんか。

時を経てなお普遍性がある訓話で、今も思いやりのある人を指して「彼(彼女)はまさにサマリタン(Samaritan: サマリア人)だな」と言うくらい、日常的な比喩です。

そこでドラクロワの赤、ゴッホの青を引き合いに出しつつ「思いやりや隣人愛の表し方って、色によって見る人に呼び起こす感情が異なりますよね……」などと言えるようになれば、会話に深みが出てきます。

これから各国のアートを解説していく際にも、キリスト教のテーマはたくさん出てきますが、一つつけ加えておくと、ビジネスパーソンに必要な〝理解〟とは、宗教やアートを研究者のように深く探究することではありません。異なる文化をもつ世界の人々の価値観をつかみ、相手の立場になって考えることです。

「復活とかいって、単なる言い伝えでは？」という日本人も多いと思いますが、**復活はキリスト教を理解するうえでの本質的な部分。安易に「伝説みたいなもの？」などとキリスト教徒の前で口にすると、相手にもよりますが、最大の侮辱ととられてしまいます。**

特にアメリカのキリスト教福音派には、「7日間かけて天地を創造した」などという聖書の教えを丸ごと信じている人も多数います。ダーウィンの進化論を否定し、遺伝子を否定し、「我々は神につくられた」と本気で考えているのです。

こうした人たちと理屈でわかり合うのは難しいかもしれませんが、アートを通して、その気持ちの一端に触れられれば、彼らとつき合う際の〝地雷〟がどのあたりかも、おのずと見えてきます。

古代ギリシアの美意識の影響は大きい

イタリアの「アピア水道」、フランスの「ポン・デュ・ガール」、スペインの「セゴビア旧市街と水道橋」。この3つを聞いてピンときた人は、インディ・ジョーンズばりに遺跡好きな人でしょう。いずれも古代ローマ帝国の水道遺跡です。

水道遺跡は、ヨーロッパ文明の礎をつくった古代ローマがいかに先進的だったかの証左ですが、インフラに力を入れていたことからわかるように、彼らはかなり実務的なタイプ。哲学やアートもローマでは重要でしたが、その発祥は古代ローマ以前の古代ギリシア。

古代ローマ帝国は古代ギリシアの地域を支配しましたが、哲学やアートは滅ぼさずにちゃっかりいただいた――否、大切に継承したということです。

紀元前5世紀のアテネで生きた哲学の祖ソクラテスは「真・善・美」という価値観について思索を深めました。

ドイツのオペラ劇場の正面には「真・善・美のために」とドイツ語で書かれていることがあり、これはプラトンの考えを受け継いでいるものです。

アリストテレスは諸学問の体系化を行い、古代ギリシア文明が花開きます。実際に哲学、絵画、演劇、彫刻、建築、音楽、詩などが発展したのは古代ギリシアでした。

いわゆる学校の世界史だと「古代ギリシア・ローマ」とひとくくりにされてしまいますが、**「哲学とアートのギリシア、実務のローマ」**と覚えておくと、理解がより正確になります。

さて、「古代ギリシアのアート」と聞いて多くの人が思い出すのは、彫刻だと思います。

当時の人々は、全知全能のゼウスをはじめとする多くの神々が、雲がたなびくオリンポスの山に住むと考えていました。

ギリシア神話に描かれているとおり、大勢いる神々は、やや人間臭い存在です。たとえば神々の王ゼウスはあり得ない女好きで、目当ての女性がいると白鳥に化けて近づくなど、手段を選びません（鳥の姿で愛をかわして、子どもまでつくっています）。

浮気に悩まされた妻の女神ヘラは結婚、家庭、母性の神であり、嫉妬深い神でもあるなど、ギリシア神話の神々は、一神教の唯一絶対の神のような神聖な存在ではありません。

ギリシア神話もアートの主要テーマなので、興味がある方は詳しく書いてある書籍を読んでおいてもいいでしょう。

ギリシア神話の神にはそれぞれ役割があり、「詩歌や医術の担当」だった神はアポロンでした。

ギリシア彫刻と言えば、ルーブル美術館所蔵の〈ミロのヴィーナス〉〈サモトラケのニケ〉などが日本人には馴染み深いかもしれませんが、数多くのアポロン像も残されています。なぜなら古代ギリシアにおいて、美は男性優位。「若い男性の美しい肉体美こそ、神に近づく素晴らしいもの」であり、アポロンの引き締まったマッチョ体型は、理想の美そのものでした。

ちなみに、筋トレに励んだことで知られる作家の三島由紀夫は、しばしばアポロンをテーマに執筆しています。

今日ではジェンダー平等の観点から「美人コンテストは性差別的」と廃止される傾向にありますが、古代ギリシアでは「美男子コンテストが盛んだった」という文献もあります。

そんな古代ギリシアの彫刻は、紀元前5世紀頃に黄金期を迎えることになります。

当時、盛んにつくられたのが「八頭身・小顔・筋肉質の若い白人男性」の彫刻でした。これらはクラシックと呼ばれるほど、のちの時代の「美の古典・美の基準」となりました。

「近代以降の差別や偏見の基準を生んだ原因は、ギリシア彫刻ではないか？」

こう言うといささか極論ですが、西洋アートが人間の身体美にこだわってきたことは、紛れもない事実。たとえば16世紀のルネサンス時代に活躍したイタリアのダ・ヴィンチやドイツのデューラーは、共にアートと科学を結びつけた作家として知られますが、人間の身体美を扱う作品が多いことでも共通しています。

男性のみならず、「高い鼻・パッチリとした大きな目・白い肌」を求めて世界中の女性が化粧をし、医療の力さえ借りようとする現象も、〝古代ギリシアの美の基準〟にさかのぼれるのかもしれません。

「古来、ヨーロッパ人の教養と言えば、ラテン語とギリシア語ですよね？　21世紀の今でさえ古代ギリシアへの尊敬の念は色褪《あ》せないわけで、だから若く美しい白人男性こそが絶対だという価値観が根強いんじゃないですか？　本来は多様である全人類に対して、たった一つの美の基準をつくってしまった。この古代ギリシアの光と影が、アジアやアフリカなどの有色人種への差別や偏見につながっているのではないでしょうか？」

私がもしヨーロッパ人の中でこのように言ったら、議論は白熱するかもしれませんが、顰蹙《ひんしゅく》を買って、そのコミュニティから追放される可能性もあります。

「レイシズム（人種差別）はギリシア彫刻から始まった」というのは、それだけ過激かつ受け入れ難い仮説だということですが、あながち外れてもいないと考えています。

これはあくまで私見であり、本書でことさらに主張するつもりはありません。ただ、それほどまでに**古代ギリシアの美意識の影響が絶大**だという点は、押さえておいてください。

「美の民主化」から「美の多様化」へ

何を基準に美しいと判断するかは、文化や価値観で異なります。私はサブサハラ・アフリカ（サハラ砂漠以南のアフリカ）諸国を何度も訪問していますが、朝から晩まで黒人とだけ接し、やや高級なレストランで、洗練された装いの黒人のカップルたちに交じってゆっくり食事をしていると、ふと感じることがあります。

「黒人こそ、美のスタンダードではないか」

このような思いを抱くとともに、とても美しいと感じるのです。これは私の感想ですが、アフリカで仕事をしている日本人ビジネスパーソンに言うと、「実は私もそう思っていました」

と、高い確率で同意されます。

「白人が美しい」という偏見は、現実には根強く、歴代アカデミー賞の受賞俳優は、男女を問わず白人が圧倒的多数でした。ですが、ダイバーシティが重視される近年、それは是正されつつあります。

長らく絶対だった古代ギリシアの美の基準は、バージョンアップされるタイミングを迎えているのかもしれません。

アートの世界では、特に近代以降は西洋が中心的な役割を果たしてきました。その西洋アートの起源は古代ギリシアにあることは事実です。

しかし古代ギリシアの前には、エジプト、メソポタミアのピラミッドや壁画、粘土板に刻まれたアートがありました。

メソポタミア、エジプト、ギリシアの3つの文明に生まれた古代のアートがあり、さらにさかのぼれば、洞窟の壁画で知られる原始アートがあり、そこには絶対的な理想の美も、西も東も、南も北もありません。

さらに、中世の西洋アートはイスラムの、18世紀のロココ様式は中国の、近代に誕生した印象派は日本の、ピカソやマティスはアフリカのアートの影響を大きく受けています。

詳しくは後述しますが、アートとはどちらが「良い・悪い」ではなく、互いに影響され、自由に混じり合うものです。言語ではない〝伝達方法〟であるアートには、言い古された表現や国境がありません。

さらにアートが、「たった一つの理想の美」を表現しているものではないことは、たとえ詳しくない人にもすぐにわかるはずです。

原始時代、山も獣も人も等しく描かれたアートのテーマは、やがて神になり、王や聖職者や貴族などの支配層になり、庶民になり、個人になり、自然になり、モノになり、社会的テーマになり、今なお変わり続けています。

第2部からは美だけではなく、アートが映し出してきたすべてを、宗教、民族、社会情勢、個人の思想という幅広い視点で見ていくことにしましょう。

第2部 西洋アートから民族を読み解く

アートの成立と発展に深くかかわっている、古代ギリシアとキリスト教。その影響力から、近代までのアートの歴史はすなわち、ヨーロッパアートの歴史と言ってもよいくらいです。

第2部では、ルネサンスから近代アートまでの歴史を辿りながら、ヨーロッパの各民族とアートの関係を紹介します。

第5章 西洋アートの誕生の地 ――地中海ヨーロッパ

イタリア――アートの道は「ローマ」に通ず

ヨーロッパは、アートの世界で中心的な役割を果たしてきました。では、ヨーロッパの国のどこが中心でしょう?

日本人のイメージだと、答えは「フランス」かもしれません。確かにマネ、モネ、マティス、ルノワール、セザンヌなど、19世紀から20世紀のフランスは多数の〝有名どころ〟を輩出しており、スペインからピカソが、イタリアからモディリアーニが、ロシア(現在のベラルーシ)からはシャガールが、という具合に、多数の外国人画家がパリに集まっていました。

しかし、これは近代以降の話。18世紀までは(16、17世紀という意見もあります)イタリア・ローマこそ長らくアートの中心であり、今なお存在感を示していると言っていいでしょう。17世紀にはフランドル地方(現在のベルギー)から世界的な巨匠ルーベンスが、スペインからベラスケスがイタリアに移り、研鑽を積んでいます。

フランスの巨匠で、知性と理性を重んじる美術理論を確立したプッサンも、長きにわたってイタリアに滞在。かつてこの国は、磁石のようにヨーロッパ中からアーティストを集め、「イタリア帰り」は憧れと称賛の言葉でした。

フランス芸術アカデミー（アカデミー・デ・ボザール）の前身で、ルイ14世の時代に創設された「王立芸術アカデミー」では、優秀なアーティストにその名も「ローマ賞」を贈り、奨学金つきで3〜5年間、イタリアに留学させていました。

フランスにとっても、イタリアこそ〝アートの本場〟だったということです。

ドイツ・フランクフルト出身のゲーテは、政治家としての限界を感じ、憧れの地イタリアで2年間にわたりアートに触れて、自らを「再生」させました。それらの経緯は、ゲーテの著作『イタリア紀行』に詳しくまとめられています。このようにアーティストを惹きつけてやまないイタリアの〝磁力〟は、次の3点にあると考えます。

1 古代ローマ帝国の中心地

2 ローマ教皇のお膝元

3 ルネサンス以降の近代アートを先導

「我々は、かつて地中海を制し、古代文明が花開いた古代ローマ帝国の帝都・ローマ市民だった」という誇りは、イタリアの人々の心のどこかに残っています。

イタリアにはポンペイ、エルコラーノなど古代ローマ時代の遺跡があり、本書を執筆している2024年現在、世界遺産の数は世界一（ちなみに2番目は中国）です。古代ギリシアのアートを受け継ぎ、古代文明の頂点に立ったと言えるでしょう。

登録された世界遺産には、キリストの使徒パウロを祀ったサン・パオロ・フオーリ・レ・ムーラ大聖堂が、イタリア共和国ではありませんが、地理的にはほぼローマ市内のようなバチカン市国にあります。

キリスト教の聖地はエルサレムとはいえ、ローマは2000年にわたってカトリックの中心であり、バチカンは総本山。現在のイタリアの若い人と話していても、言葉の端々に教皇への敬愛を感じます。ちなみに現在のローマ教皇であるフランシスコ教皇はアルゼンチン出身ですが、歴史的に見ると、ローマ教皇はイタリア出身者が多数を占めます。

古代ローマ帝国とキリスト教という「西洋アートの2つの礎」が揃っているところに、ルネサンスが起こったわけですから、イタリアがアートの中心にならないほうが不思議というものです。

ルネサンス以前にアーティストは存在しなかった

原始の洞窟アート、古代（メソポタミア、エジプト、ギリシアなど）のアート、古代ローマ帝国のアートは、中世に入ると「キリスト教のアート」となります。

イコン画のビザンチン、アーチ型を用いた石造の大聖堂で知られるロマネスク、天まで届けとばかりに尖塔が際立つ大聖堂が象徴するゴシックなどの様式で、教会や宗教画が多くつくられました。

「でも、それだけがアートなの？　神は素晴らしいけれど、人間のリアルを描きたい。自分を表現するには、キリスト教以前の古代ギリシア・ローマを見直したい！」

こうしてフィレンツェを中心に起こったのが芸術復興《ルネサンス》で、ダ・ヴィンチ、ミケランジェロ、ラファエロが登場――世界史の授業的に駆け足でまとめれば、「そういえば……」と思い出した世界史選択者も多いのではないでしょうか。

さらに「ルネサンスは、遠近法や明暗法の採用によるリアリティの探究をもたらした」というのも、よく知られた美術の基礎知識です。

ビジネスパーソンがルネサンスで押さえておきたいのは、「アーティストの誕生」です。

ルネサンス以前にアーティストは存在せず、画家も彫刻家も「名もなき職人」でした。絵画でも建築でも彫刻でも、教会や王侯貴族の依頼どおりに精緻《せいち》に完成させることが求められ、どんなに才能があっても、つくり手はあくまでも裏方です。

サインを残すこともありましたが、単純に「制作者を明らかにするメモ」という意図であり、「自己表現するアーティストとしてのサイン」が始まったのはルネサンス以降です。

ルネサンスをきっかけに、つくり手が職人からアーティストへと昇華し、つくり手の哲学――高尚で深淵なテーマ――も徐々に反映されるようになりました。

もっとも、ルネサンスを経ても、ミケランジェロ・ブオナローティのように「作品自体が私の表現だ」と、自分のサインをほぼ入れていないアーティストもいます。バチカンの世界遺産・**システィーナ礼拝堂天井画**（口絵4ページ参照）はミケランジェロの代表作であり、「創世記」を題材にした作品。何度か修復を経ていますが、「ミケランジェロ」というビッグネームの作であってもなくても、見る人を圧倒する素晴らしさは色褪せません。

ヴェネチア・ビエンナーレは「アートのオリンピック」

最古のオリンピックは紀元前776年に開催され、場所は古代ギリシア・オリンピアだったことはよく知られています。しかし、アートのオリンピックとも言える「ヴェネチア・ビエンナーレ」についてはどうでしょう？

原則として2年に一度開催される、古代からのアートが地層のように蓄積したイタリアの強みを発揮した展覧会。「ビエンナーレ」とはイタリア語で「2年ごと」を意味します。

日本のメディアは、オリンピックやノーベル賞となると日本人の活躍に熱狂しますが、ヴェネチア・ビエンナーレに参加した自国アーティストについての報道はごく一部。国際的にはオリンピックと同等のインパクトがあるのですから、もっと注目すれば〝日本のアート偏差値〟も上がるように思います。

古代からのアートの蓄積とキリスト教文化は、ヴェネチア・ビエンナーレのような、イタリアの〝アートそのもの〟にも受け継がれていますが、ファッションブランド、家具、宝石、食生活など、イタリアのセンスにもつながっていると感じます。

経済成長が落ち込み、失業率も高く、時として〝EUの劣等生〟扱いを受けるイタリアですが、それでもヨーロッパの中核的な立場に変わりはありません。

音楽のようなイタリア語が「明朗気質とオペラ」をつくった

本書で取り上げるアートは絵画が中心ですが、音楽もまた忘れてはならないイタリアを代表するアート。ヨーロッパでの公演経験が豊富な日本人声楽家が、こんなことを言っていました。「イタリア人の会話を聞いていると、イタリア語そのものが音楽のように聞こえてくる」

特にオペラとイタリア語は相性がよく、むしろ「オペラはイタリア語でなければならない」とすら言えます。〈セビリアの理髪師〉のロッシーニ、〈蝶々夫人〉のプッチーニなど日本でもよく知られていますが、中でも〈椿姫〉のヴェルディはイタリアで絶大な支持を得ていて、国の誇りとなっています。


では、なぜイタリア語が〝音楽的〟なのか、少し考えてみましょう。

イタリア語の抑揚は日本語と同じく母音で終わる単語が多いので、「イタリアーノ！」といった具合に伸ばすことができます。抑揚が少ない日本語と違ってメリハリがあるのも特徴で、実に音楽向き。その点、ドイツ語は子音で終わることが多いためにオペラや声楽にはあまり向かないとも言われ、ドイツ語圏出身のあのモーツァルトですら〈魔笛《まてき》〉を除くオペラ、〈ドン・ジョヴァンニ〉や〈フィガロの結婚〉などはイタリア語です。

このオペラこそ、イタリアの「民族」を象徴しているアートである――これが私の仮説です。民族の定義はいくつもありますが、私なりに次のように捉えています。

民族＝言語や文化、生活習慣、血縁などに関して、同胞意識・仲間意識が広まっている集団。

音楽のような抑揚をつけ、オペラのように情感たっぷりの「イタリア語」で会話をしているうちに、イタリア人という民族は陽気になってくるのか、それとも陽気だから言葉も感情表現もオペラ的になるのか？　「食べる、愛する、歌う」の3つをこよなく愛するのがイタリア人で、おそらく全世界で一番生活を楽しむマインドをもつ民族と言っていいでしょう。

ちなみにイタリアに限らず、欧米のビジネスエリートには、オペラの演目を30くらいはすらすらとあげ、演じた歌手ごとの特徴も含めて自分の意見を言える人が大勢います。単なる知識を超えて、教養として楽しんでいるのです。

オペラは日本人には馴染みが薄いからこそ、機会を見つけて観ておくことをおすすめします。

〈フランソワ1世の聖家族〉からわかる、イタリア人にとっての家族

「イタリア人が明るくて幸せというのは、ステレオタイプな考えでは？」

意地の悪い質問が出てきそうですが、裏づけとなる〝根拠〟もあります。国や地域、宗教について考察する際、社会の幸福度を測る目安として、私は「自殺率」に注目しています。

そして主要先進国のG7において、イタリアは自殺率が一番低いのです。

国民の約8割が自らをカトリックとみなし、また国民の約3割は教会に通っている国ですから、カトリックの生命重視の価値観やモラルが自殺率低下に大きく影響しているはずで、「苦しいことがあっても、神が救ってくれる」と考える人も多くいます。

一般にカトリック教徒やイスラム教徒が多い国は、自殺率が低い傾向にあります。

太陽が降り注ぐ地中海沿岸の気候も、イタリアの明るさに影響があるでしょう。気候は人間のメンタルに影響を与えるとも言われ、寒冷で気候の厳しいロシアでは、自殺率が高い傾向にあります。社会的抑圧も大きく影響するため、残念ながら日本や韓国も、世界的に見て自殺率が高い部類に入ります。

古代ローマ帝国が憧れた古代ギリシアは、はるかな時を経てギリシャ正教の国になりましたが、民族や宗教が違っても地中海に面する国の人々には共通するものがあり、おおむね陽気です。私はかつて「アラブの中のラテン」と言われるエジプトに住んでいましたが、エジプト、イタリア、ギリシャ、ポルトガル、スペインからフランスという国々には、明るい地中海に面しているからか〝地中海民族〟と言ってもいい明るさがあると感じます。

もう一つ、イタリア人の自殺率の低さの理由に「家族の絆」があります。多産を奨励し、家族愛を重んじるカトリックの影響ですが、これはイタリア人の民族的特徴でもあります。

日本で「家族」と言えば、せいぜい親子関係やきょうだい関係。広げても祖父母から孫の3世代です。

しかしイタリアでは、日本で親戚とされるおじ、おば、いとこ、またいとこくらいまでを「家族」とみなします。家族関係は非常にウエットで、日曜日にファミリーが集まる「プランゾ」という食事会も頻繁に開きます。「アモーレ（愛しい人）！　今日も元気なの？　ああ大好きだよ」といった言葉と共に、ハグやキス。全身で行う愛情表現は日常的です。

このウエットなコミュニケーションも一因となり、コロナ禍のイタリアでは感染予防が難しかったと言われます。一方で「日本人は家族でさえ距離がとれていた」と聞くと、やや寂しい気もします。

そんなイタリアで、クリスマスはカトリック最大の大切な家族行事。家族とそれぞれのパートナーや子どもを含めた〝拡大家族〟が10人、20人と集結。クリスマスイブから27日くらいまで連泊し、えんえんとワインとご馳走を楽しむ宴《うたげ》が続くことも珍しくありません。

核家族が多く、さらに家族の中でも分断、孤立が進んでいる日本人にとっては「うらやましい」とも「煩わしい」とも感じられるでしょうが、孤独から命を絶つ人が多い現状を考えると、どちらが「良い・悪い」ではなく、人との結びつきについて考えさせられるものがあります。

古代ローマ帝国の伝統、カトリックという宗教、ルネサンスの誇り、そして陽気な地中海気質。そんなイタリアを象徴するアートは何かと問われたら、私はラファエロ・サンティの**〈フランソワ1世の聖家族〉**（口絵4ページ参照）をあげます。

聖家族を描いた作品は多くありますが、どれもイエス、聖母マリア、マリアの夫ヨセフの3人が登場するのが定型です。ルネサンス期を代表するラファエロの〈フランソワ1世の聖家族〉も、中心には幼な子イエスがいて聖母マリアに手を伸ばし、傍らではヨセフが優しく見つめています。注目したいのは、周りに天使など4人が配されていること。4人の表情は実に柔和かつ自然で、どこか人間らしく、私には家族の一員のようにすら感じられます。

ヨーロッパでビジネスをしている知人は、イタリア人からこんな話を聞いたそうです。

「そりゃあ、仕事は大事だし、週末ごとに家族揃って親元に帰るのが面倒なときもある。でもね、行けば必ずハグをして、おまえは最高で大切だと言ってくれる。毎日忙しくて経済的に厳しくても、『自分の存在を全面的に肯定してくれる人がいる』って最高ですよ」

ここまで家族の絆が強いのはイタリア人の特徴と言えますし、〈フランソワ1世の聖家族〉には、それが如実に表れているように私には感じられます。

一つの作品から、歴史、宗教、民族、そして家族という普遍のテーマが見えてくる。家族における人間関係や深層心理について、思いを馳せることもできる。アートとは、実に多くを問いかけ、思考をうながすものだと思います。

ザビエルに学ぶ、大航海時代のグローバル戦略

日本で有名な宣教師と言えば、カトリック・イエズス会のフランシスコ・ザビエルでしょう。17世紀前半のポルトガルの画家アンドレ・レイノーゾとその工房が1619年に制作した〈聖フランシスコ・ザビエルの生涯〉は、20の絵画からなる連作で、発注者はリスボンのサン・ロケ教会。

グローバル展開を目指す企業は、自社の利益だけ主張してもうまくいきません。現地では、雇用の創出だけでなく環境保護や教育事業も行い、企業価値を向上させるという〝善意の戦略〟が必要です。カトリック教会が各地に病院や学校をつくったのは、現代に置き換えるとCSR（企業の社会的責任）とも言えます。

イエズス会から派遣された宣教師たちは、アートのみならず、言葉と行動でカトリックの魅力を伝えようと奔走し、精力的に説教を行いました。私はこれを〝プレゼンの元祖〟だと捉えています。

もちろん、宣教活動の根底にはキリスト教の美徳である博愛主義と隣人愛があり、民族も宗教も違う人々を幸福にしようという信念があったことも忘れてはなりません。その意味では、

〈インドのゴアの教会で病める男性を癒すザビエル〉はＳＤＧｓを考えるきっかけにもなります。

ザビエルはイエズス会の創設メンバーでもあり、伝道に情熱をもったスペインの聖職者のエリートでした。もっとも、アジアへの伝道の旅は〝出張〟と言うには、あまりにもヘビーでしたが。

リスボンを出て、まずはインドから当時の交易の中心地マラッカへ。その後日本に立ち寄り、最終目的地の中国で伝道をすることなく亡くなっています。その旅の間、どれほどの苦労があったかも〈聖フランシスコ・ザビエルの生涯〉は教えてくれるのです。

ザビエルら宣教師が、なぜこれほどまでに過酷な伝道に赴いたのか？　そこにはカトリックを脅かすライバルの存在がありました。

16世紀には宗教改革が勃発。マルティン・ルター率いるプロテスタントは、カトリック教会にはびこる不正や汚職を告発し、「ラテン語ではない、自分たちの言語に翻訳された聖書」をつくります。印刷技術の発展もあり、個人個人が母語で理解できる「マイ聖書」をもてるようになった――この影響力は絶大です。

教会に足を運び、司祭にしか読めない聖書について教えてもらわなくても、自宅の寝室でイエスの教えがわかるのです。今風に言うと、映画館だけで上映されていた作品を、動画配信で好きなだけ見られるようになった感じです。

不正の告発でガタ落ちの評判と、ライバル・プロテスタントの登場による信徒の減少。カトリックはなんとか挽回しようと、ヨーロッパのみならず世界に教えを広めようとしていました。同時に、大航海時代のスペインの目的は世界制覇。15世紀の終わりにスペイン王室の命を受けたコロンブスが新大陸を発見し、16世紀にはラテンアメリカを植民地化。ライバルであるポルトガルとは、対立したり講和条約を結んだりと駆け引きを繰り返し、一時的にはポルトガルを併合しましたが、スペインのライバルはほかにもいます。

同じカトリックのフランスは何かと張り合ってきますし、同じく世界を狙う〝敵方プロテスタント〟のイギリスが〝存在感を増していました。

1588年、スペイン軍はイギリスに自慢の無敵艦隊で挑むものの、大敗。そこからスペイン王国の衰退が始まる――地中海の強烈な光と影のように、情勢が変わっていきます。

ヨーロッパ大国が目指した世界征服は、光と影を宿しています。

スペインの影の部分は、植民地化したアステカ帝国やインカ帝国が築き上げてきた独自の文化を、虐殺という残酷な手段で塗り潰してしまったこと。スペインに限らず、先に住んでいた人々をプランテーションや鉱物採掘という重労働に従事させる非人道的な行いは、禍根となっています。

そして光の部分は、異文化と異文化が混じり合った独自のアートが生まれたことです。たとえばペルーのクスコのサン・フランシスコ教会・修道院は、スペインのバロック建築と、元からラテンアメリカにあった先住民の影響を受けたデコラティブな様式が混じり合っています。

異なる文化がお互いに影響を受け合って、独自のアートを生んでいる。これはグローバリズムがアートにもたらす、紛れもない光だと私は思います。

西洋アートに溶け込む〝イスラム風味〟

地中海はヨーロッパ、アフリカ大陸、トルコ、シリアなどの中東に囲まれており、キリスト教勢力とイスラム教勢力の争いが激しかった地域です。スペインとポルトガルがあるイベリア半島はキリスト教の支配下にありましたが、711年にイスラム教徒であるアラブ人に攻め入られ、イスラム帝国の領土となった歴史があります。15世紀の終わりにスペインがグラナダを奪還するまでの領土の回復運動を「レコンキスタ」と言います。

しかしこの争いも、アートにとってはある種の恵みです。たとえばスペインの世界遺産アルハンブラ宮殿は素晴らしいイスラム建築ですが、再びカトリックの国になったのちも、地理的な近さもあって〝イスラム風味〟はこの地のアートに多様性をもたらしています。

スペイン・カタルーニャ出身のアントニ・ガウディは、イスラム建築についても研究して、自らの建築に活かしました。バルセロナのサグラダファミリアの独創性の礎には、イスラムの多様性が影響しているのです。

ただし絵画に関しては、顕著なイスラムの影響はありませんでした。

たとえば16世紀を代表するギリシャ生まれのエル・グレコはスペインで活躍。青と緑を多用した強烈な光と影のコントラストは〝地中海の申し子〟ですが、キリスト教の影響を強く受け、画風は正統派で、モチーフは主に宗教画でした。

これには、当時のスペイン王室のコンプレックスも影響しています。無敵艦隊が敗れたのちのスペインは地位が凋落《ちょうらく》し、「あの国は、少し行けばアフリカじゃないか」と当時のヨーロッパ中心の世界観では、辺境扱いされていました。

当時のスペイン王室はハプスブルク家のいわば分家で、バリバリのカトリック。世界制覇の栄光に手が届きそうなところで失敗し、2軍扱いされている屈辱ゆえに、いっそう「我らは伝統あるハプスブルクだ！　宗教画に力を入れよう」と保守的になったのではないでしょうか。

17世紀になると、西洋アートにバロックが生まれます。豪華で重厚、動的で情熱的、明暗がくっきりとした特徴を体現するのは、スペインのディエゴ・ベラスケス。幼い王女マルガリータを中心に女官たちを描いた代表作**〈ラス・メニーナス〉**（口絵5ページ参照）を見ればわかるとおり、やはりパトロンは教会や王侯貴族。描かれるのは宗教画や上流階級の人々でした。

不安定な国情や個人の苦悩が明確な形で描かれるようになったのは、18世紀も終わりに近づいた頃、フランスをはじめヨーロッパ中に広がったロマン主義の登場以降です。

スペインのフランシスコ・デ・ゴヤはバロックの頃に活動を始め、王侯貴族や裕福な市民の肖像画を手掛けていましたが、明らかに娼婦とわかる**〈裸のマハ〉**（口絵5ページ参照）を発表して大論争を巻き起こします。

名画として名高いため、「ゴヤ＝マハ」というイメージをもつ人も多いと思いますが、ロマン主義が台頭してきた頃にゴヤが発表した版画〈戦争の惨禍〉についても知っておくほうがいいでしょう。ナポレオン戦争を題材とした連作で、82枚にもおよびます。

ロマン主義は、個人の内面や理想を描き出す画期的なもの。それゆえに戦争など、当時の社会情勢も描かれるようになった——〈戦争の惨禍〉は、その一例です。

苦しみ、悲しみ、怒り、そして愛と喜びを、社会情勢と共に表現する。ロマン主義は「アーティスト個人のメッセージ発信」の本格的な始まりと言っていいでしょう。
ロマン主義は、世界のアートの歴史において、大きな分岐点なのです。

ドラクロワが描き出す「人間の本質」

地中海の民族性を宿す「個人と社会的メッセージの発信者」として、私があげたいのはウジェーヌ・ドラクロワです。ロマン主義の中心人物である彼は19世紀のフランスで活躍した画家ですが、ベラスケスの影響を強く受けています。

ドラクロワの代表作の一つ、七月革命を描いた〈民衆を導く自由の女神〉（口絵7ページ参照）には、既存のレジーム（体制）をくつがえそうというフランスの強い志が込められていますが、彼はまた、民族の対立の激しさもそのまま描き出しました。

世界には〝宿敵〟とも言える歴史的経緯がある2国間関係があります。インドとパキスタンはその典型ですし、ギリシャとトルコも然《しか》り。そもそも現在トルコで最多の人口を有する都市イスタンブールは、かつてビザンチン帝国の首都コンスタンティノープルでした。ビザンチン帝国こそ、古代ローマ帝国を継承する1000年も続いた大国です。

しかしビザンチン帝国は、トルコ人皇帝が率いるオスマン帝国の攻撃で滅亡。陥落したコンスタンティノープルはイスタンブールに名を変え、オスマン帝国の首都に――これは極端に言うと「中国がロシアに占領されて、首都北京が改名してピョートルになった！」くらいの衝撃的な出来事です。

イスラム教は「ちゃんと税金さえ払ってくれたら異教徒もOK！」という合理主義的な面をもっているので、オスマン帝国に残ったキリスト教徒やユダヤ教徒も多数いました。

それでも占領された民族の屈辱というのは簡単に消えるものではなく、19世紀初頭、ギリシャ人がオスマン帝国からの独立を求めて蜂起《ほうき》。ギリシャ系住民が多数を占めるキオス島に侵攻したオスマン帝国軍は大虐殺を行い、生き残ったギリシャ人は奴隷にされました。この惨事を描いた作品が、ドラクロワ**〈キオス島の虐殺〉**（口絵6ページ参照）です。

半裸で地に倒れ、命を失ったように見える母の乳房に手を伸ばす幼子。戦禍で力尽きたギリシャ人たちは絶望の眼差しを空に向け、騎乗のトルコ人が彼らを冷たく見下ろしています。

民族の屈辱を個人の表情で描き出したこの作品は、「民族の誇りとは何か？」という普遍の問いを突きつけてくるように私には感じられます。

ロシアによるウクライナ侵攻が長引き、パレスチナのガザ地区を支配するハマスとイスラエルの武力紛争も勃発した現代において、この問いへの答えは各人がもっておくべきものです。

特に最近は国際情勢が不安定ですから、植民地支配を描いたアートを見ると、これまで経験したことのない感情が湧き上がってくることもあるはずです。

ドラクロワは、異文化からインスピレーションを得たアーティストでもあります。〈キオス島の虐殺〉発表から10年後、36歳で描いたのが**〈アルジェの女たち〉**（口絵7ページ参照）。室内で寛《くつろ》ぐ女性たちの衣装や調度品は、当時注目されていたオリエンタリズム。座っている3人はハーレムの側室のアラブ人で、黒人女性は使用人と言われています。

エキゾチックな風俗がブームだったとはいえ、ヨーロッパ以外の人々をモチーフにするというのは、当時としては先進的な挑戦でした。

私たちは、「出身地が同じ、学校が同じ、趣味が同じ」などとお互いの共通点を、関係性を構築する際の〝原材料〟にしています。特に日本は鎖国という歴史をもち、アイヌ民族や在住外国人の存在は重要とはいえ、全体としては比較的同一性が高い社会ですから、共通点という〝原材料〟が豊富。しかし、それゆえに他文化の人とのつき合いが苦手な面もあります。

共通点でつながる関係は心地よいものですが、お互いの違いを理解し合い、新たな価値を生み出すことは、大きな喜びになり得るはずです。

異民族との違いが現在よりはるかに大きかった当時、いち早く「違い」を前向きに捉えたドラクロワの視点から、ダイバーシティについて考えてみるのも面白いと思います。

ピカソ〈ゲルニカ〉が訴えようとしていること

アートと民族性は結びついていますが、完全にイコールではなく、まして国としての特徴とアートは完全に合致しません。民族的、言語的に単一ではない国は多くあり、スペインも然りです。

首都マドリードを中心とするカスティーリャ地方と、観光都市として人気のバルセロナを中心とするカタルーニャ地方は文化が異なります。その証拠にサッカーのレアル・マドリードとFCバルセロナの試合では両者の対抗意識が炸裂し、日本のプロ野球の巨人・阪神戦の比ではありません。

一般に「スペイン語」と呼ばれるカスティーリャ語とカタルーニャ語は異なり、カタルーニャ出身でスペインを代表する画家ジョアン・ミロも、カスティーリャ語では「ホアン・ミロ」。スペインではカスティーリャ語以外の使用が禁止されていた時期もありました。

中世はカタルーニャが優勢で、地中海の交易の拠点として大繁栄。しかしオスマン帝国に地中海の制海権を奪われ、大航海時代に航行の中心が地中海から大西洋に移ると、カスティーリャの巻き返しが起こります。カタルーニャは衰退に向かい、自分たちの言語を使用禁止にされるなどの屈辱を味わいながら産業振興に尽力し、近代を迎えます。

「カスティーリャへの反発と屈辱の時代が、バルセロナの独創的なアートに昇華した」

これが私の仮説です。ミロは生まれも育ちもバルセロナですし、ダリやガウディもバルセロナか、その近郊の出身。音楽に目を向けても、パヴァロッティやドミンゴと並んで、世界三大テノールと言われるホセ・カレーラスがバルセロナ出身です。

2022年、私はホセ・カレーラスのリサイタルに足を運びましたが、70代後半になっても衰えない美声と四度のアンコールに応えるエネルギーは、カタルーニャ人の魂を感じるものでした。自らも患った白血病の患者への支援を続けている〝善きカトリックらしさ〟も宿しているからこそ、彼の歌は強く温かく響き、聞き手を魅了するのではないかと考えています。

並いるスペイン人アーティストの中で、代表的存在はなんと言ってもパブロ・ピカソでしょう。

1881年にマラガで生まれた彼は、14歳から青年期をバルセロナで過ごし、「青の時代」を迎えます。やがてパリに拠点を移しますが、世界に影響を与えた地球人であると同時に、91歳で亡くなるまで永遠のスペイン人でした。それを象徴する作品が、〈ゲルニカ〉です。

1931年に王政が崩壊したスペインは、脆弱な共和国政府とファシズムを掲げるフランコ将軍派との対立から内戦状態に陥ります。フランコを支持するナチス・ドイツは、バスク地方の街ゲルニカを爆撃、多くの市民が犠牲になりました。歴史上初の本格的な無差別攻撃とも言われます。

バスク地方はカスティーリャともカタルーニャとも異なる独自の文化と言語をもつ、言ってみれば異民族の土地です。今も独立の動きがあるほどですから、バスクはフランコ独裁政権の配下になることを断固拒否。自治権を認める可能性が高い共和国派を支持したことも、ナチスに攻撃された一因でした。

当時フランスにいたピカソが〈ゲルニカ〉を描いたのは、彼が共和国派であり、フランコ政権とナチスを憎んでいたためですが、「バスクこそ自由と独立を守る象徴だ」という主張も込められていたのではないかと私は思っています。

〈ゲルニカ〉の作者について問われたピカソは、ドイツ兵に「あなたたちだ」と答えたという有名なエピソードがあります。無辜《むこ》の市民を殺戮《さつりく》したナチスの存在が、叫びと嘆きと咆哮《ほうこう》すら響いてくるこの作品をつくり上げたのだと。

ピカソはまた、戦後しばらくニューヨークに保管されていた〈ゲルニカ〉について、「民主政治が復活するまで、スペインに返却する必要がない」とまで語っています。

スペインに限らず、多民族国家はたくさんあり、複雑でわかり合えない部分を宿しています。しかし、自由を奪う独裁には声を揃えてノーと叫ぶ——〈ゲルニカ〉を見ていると、そんなメッセージも伝わってきます。

〈ゲルニカ〉はさまざまな見方ができる作品です。本物でも画集でも、ネットの画像でもいい。ぜひ時間をかけて眺めながら、たくさんの問いと答えを見つけていただきたいと思います。

フランス革命が「革新のアート」を生んだ

日本人が「芸術の都」と聞いて思い浮かべるフランスも、ニースやカンヌを擁する地中海の国です。しかし西洋アートの中心となるのは、（諸説ありますが）17世紀または18世紀になってから。フランスは長きにわたって、ルネサンスが花開いたイタリアと比べて、アートの質と量で後塵を拝している面がありました。

バロックを代表するカラヴァッジオは16世紀末から17世紀初頭のイタリアのアーティストで、暗黒に浮かび上がる写実的な表現で、宗教画も貴族の日常も描きました。この頃のフランスはアートにおいてまだ影響力は弱く、やはり中心は依然としてイタリアだったと言えそうです。

そんなフランスのアートの地位が上がる一つの要因は、レオナルド・ダ・ヴィンチが晩年をフランスで過ごしたこと。芸術の保護と育成を目指したフランソワ1世の招聘《しょうへい》で、これをきっかけにフランス国王はアートのパトロンとなることが一般的になりました。この蓄積が、あとあとじわじわ効いてくるのです。

本格的に「アートの中心地＝フランス」となった一つの契機は、ロココという美術様式の広がりにあるのではないかと思います。重厚にしてリアル、光と影を強調しながら宗教的なモチーフが多いバロックに対して、ロココはあくまで軽やかで優雅で女性的。宮廷での貴婦人の日常なども好んで描かれています。

ロココは貝殻、岩、小石、曲線を多用する装飾などを意味する「ロカイユ：rocaille」から生まれた言葉で、曲線が好まれました。

しかし優雅なひとときは、ほんの一瞬。世界を震撼《しんかん》させるフランス革命によって断ち切られます。贅《ぜい》を尽くしたロココ的な貴族趣味は否定され、王政を倒して共和政が打ち立てられたことは、改めて説明するまでもないでしょう。

優美なロココは、フランスの一面にすぎません。既存のものを疑い、打ち壊し、ゼロから新たなものをつくりだすのがフランスであり、それはフランス人の誇りでもあります。

民主主義や市民という近代国家の重要な概念の多くは、フランス革命に大きな影響を受けていると言っても過言ではありません。

「民主主義を代表する国はアメリカでしょう？　大統領制もアメリカからだし」

確かにアメリカの建国は民主的国家の先進事例ではあるのですが、一方で「清教徒の理想の国づくり」であり、そのために迫害された先住民にとってはあまりにも理不尽なものでした。

一方、弱者であった庶民が、絶大な権力があった王政という「既存の体制」を根底からくつがえしたフランス革命こそ、文字どおり革命的です。さらに「既存のものを疑う」という姿勢は、フランスが生んだ哲学者デカルトにも通じるところです。

フランス革命の影響を受けたアーティストを、ドラクロワ以外にもう一人あげるなら、私は写実主義を代表するアーティスト、ギュスターヴ・クールベを選びます。

「目の前のものを忠実に描く」ことだけが写実主義ではありません。宗教にも歴史にも材を取らず、ワンシーンを描くのも特徴で、代表作**〈オルナンの埋葬〉**（口絵8ページ参照）には、王侯貴族でも、聖職者でもない一庶民の埋葬が描かれています。白い犬が大きく描かれていることも、「神と人間優先」だった当時の絵画としては珍しいように思われます。

ちなみにオルナンはスイス国境に近い、クールベの地元。19世紀半ばとはいえ、地方の庶民を主体とする絵画は極めて稀でした。ここに王侯貴族や聖職者などの特権階級を否定した、価値観の変化が見えます。

誰に焦点を当てるかで、同じ物事でもまったく異なった視座が得られることを、ビジネスパーソンはこの作品をきっかけに考えてもいいでしょう。

余談ですが、クールベは非常にプライドが高いことで知られています。時代の先端を行くがゆえに評価されず、パリ万博で展示されなかったことに憤《いきどお》った彼は、なんと万博会場の隣のギャラリーで個展を開きました。「自分の作品はもっと評価されるはずだ！」という自負から、入場料も万博と同じ。「さすがに高すぎ……」と感じた人々の足はより遠のいた、という残念な結末でした。この誇り高さも、フランスらしさかもしれません。

アートからフランスの民族性や社会問題を読み解く

「政治と宗教が相互に介入してはいけない」という政教分離は、日本をはじめ世界の憲法で制定されていますが、フランスほど徹底している例はないと思われます。

フランス革命後、「新たな国家では、聖職者の介入で政治が歪む過ちを繰り返してはならない」としたためで、「キリスト教的な国こそ理想である」というアメリカとはある意味、対照的です。

アメリカの大統領就任式では、今も聖書が使われていますが、「もしもキリスト教徒でない人が大統領に当選して、キリスト教の聖書以外の聖典を使ったらどんな国民の反応になるのか？」と思うのは私だけではないでしょう。

２０２２年、イギリスではヒンドゥー教徒（公式の発表はないようです）のスナク首相が誕生し、特に違和感なく受け止められています。しかし、これがアメリカだったらどうでしょう。「現時点では、キリスト教徒以外の大統領は想定していない」というのがホワイトハウスの公式見解――かどうかはともかく、「黒人大統領はありでも、非キリスト教徒の大統領は難しい」というのが一般の認識ではないでしょうか。

父親がイスラム教徒であるオバマ大統領は、大統領選挙の際に「オバマ本人もイスラム教徒ではないか」とネガティブキャンペーンを張られたことから、キリスト教徒以外の大統領就任は社会的反発も予想されそうです。

それだけアメリカは宗教的国家であり、フランスはその対極とも言える政教分離国家、イギリスはその中間といったところでしょうか。

フランスの政教分離の徹底ぶりは、近年の「スカーフ問題」に象徴されます。行政機関や公立学校などでムスリムの女性がヒジャブを被ることは、「宗教が公共の場で影響力を行使している。イスラム色を強める」とみなされ、禁じられました。

しかし敬虔なムスリムにとっては、女性が髪を覆い隠すのは当然で、「ヒジャブなしなんて下着姿で歩くのと同じ！」と感じるほど、宗教的タブーでもあります。

「風俗を乱すわけでもないのに、スカーフを禁じるのは個人の自由の侵害ではないか」ムスリムばかりかキリスト教徒からもこうした反論が出るなど、公の場でのスカーフ着用の可否は、常に政治的・宗教的な争いの種となっています。

この問題とつながるアートは、フランスの新古典主義の画家ジャック＝ルイ・ダヴィッドの

〈皇帝ナポレオン1世と皇妃ジョゼフィーヌの戴冠式〉（口絵8ページ参照）。

1799年、フランス統治者となったナポレオンは、自らの手で王冠を戴いたことで知られています。歴代の王はフランス・カトリックを象徴するパリのノートルダム大聖堂で、ローマ教皇から冠を戴くのが伝統であり、ルール。ちなみに2023年のイギリスのチャールズ国王の戴冠式も、イギリス国教会のカンタベリー大主教によるものでした。

しかしこの作品では、ノートルダム大聖堂のナポレオンはローマ教皇の前に出て、最初の妻であるジョゼフィーヌに冠を授けています。つまり「革命を経たフランスでは、政治は宗教と完全に切り離されている。聖職者には治世者以上の権力も権威もない」と象徴する作品で、ナポレオンの権力のみならず、政教分離のドグマ（教義）が表れています。

歴史的な名場面を描いた大作から、政治、宗教、フランスの民族性ばかりか、現代の社会問題まで論じられるのがアートの面白さだと思います。

ゴーギャンが投げかける人生哲学から、「答えが出ない謎解き」を楽しむ

19世紀半ばから第二次世界大戦までには近代アートの大きな潮流があり、写実主義、印象派、ポスト印象派、表現主義、象徴主義などがあげられます。

そのほとんどが、パリで始まっています。

写実主義も印象派も、それぞれ革新的なものでした。フランスを〝優雅な芸術の国〟というだけでなく〝革新の国〟と捉えるのは、ビジネスパーソンにとって重要な視点です。

19世紀半ばの写実主義は「社会情勢や庶民の生活、農民や労働者などをリアル、かつありのままに描く」というもので、前述したクールベもその一人。

その後に登場するのが印象派で、「自分が感じたことを表現する」という、いまだかつてなかったフランス発のアートです。

ルネサンス期以降の絵画のルールは、遠近法や明暗法。ご存知の方も多いかもしれませんが、「遠近法」は遠いところは小さく、近いところは大きく描くことで、遠近を明示するテクニック。「明暗法」とは、明暗によって立体感や空間感覚を出す手法です。印象派はこれらの〝伝統的絵画のルール〟から、するりと逃れてしまいました。

代わりに用いたのが、さまざまな色を並列し、遠くから見ると隣り合った2色が1色に溶け合って見える「筆触《ひっしょく》分割」。あるいは、遠近法を無視した平板な描き方。

今では「普通じゃないの？」という表現ですが、当時のフランスでは異質であり、掟《おきて》破りでした。

印象派は光や色に重点が置かれているため、風景や自然も多く描かれています。時刻と共に移り変わる睡蓮の見え方に注目したモネの〈睡蓮の池〉は日本でも人気が高く、ほかにも印象派にはマネ、ルノワール、ドガという〝有名どころ〟がずらりと揃います。

印象派の影響を受け、よりアーティスト個人の思考、感情、メッセージに重きを置いた表現へと変わっていくのがポスト印象派で、こちらも〈桃と梨〉といった静物画をかつてなかった色調とスタイルで表現したセザンヌ、点描法で知られるスーラがいます。オランダのゴッホも、ポスト印象派の画家です。

フランスのアーティストの中でビジネスパーソンなら自分なりの見解をもっておきたい作品が、ポール・ゴーギャンの**〈我々はどこから来たのか　我々は何者か　我々はどこへ行くのか〉**（口絵9ページ参照）です。

フランス生まれのゴーギャンは、もともと株の仲買人、つまり金融の世界で働いており、日曜画家として絵を描いていました。株式市場の大暴落をきっかけにアーティストの道を歩み出しますが、生活は苦しく、妻子と共にフランス国内を転々としつつも、新たな創作のためにポリネシアに旅をします。

やがて拠点を置いたタヒチでは、14歳の現地の少女と結婚。異文化に魅せられ、自分の精神世界を描いた多くの作品で知られています。

〈我々はどこから来たのか 我々は何者か 我々はどこへ行くのか〉は代表作の一つで、あたかも詩のようにタイトルとサインが左上に記され、作品の一部となっています。

タイトルそのものが哲学であり深遠な問いである大作は人物群像で、右側には赤ん坊と母親、中央には若者などの現役世代、左側には老人などが描かれていることから、「生まれて、生きて、死にゆく姿」を描いているとも言われています。

この作品を見ていると私は、誰もが歳をとって死んでいくという生老病死には逆らえないという、仏教の教えに通じるものを感じます。また、過去世・現世・来世を暗示している気がすることもあります。

この作品を描いた後、ゴーギャンは自殺を試みましたが、幸い未遂に終わりました。彼はこの絵を最後の作品にしようとし、その中にさまざまな意味を込めたと言われています。

ゴーギャンは少年時代、カトリックの神学校で学んでいます。のちに教会に反発し、ポリネシア文化の素朴さに魅せられていくのですが、私には宗教的な真理を問いかけているようにも思えるのです。

タイトル自体が哲学的な問いとして、さまざまな場面で引用されています。

最近では人口学者、歴史学者のエマニュエル・トッドが、アングロサクソンの歴史を描いた著作に“Où en Sommes-nous? (我々はどこから来たのか)”というタイトルを用いました。日本語版『我々はどこから来て、今どこにいるのか? 上・下』(文藝春秋)の装画は、ゴーギャンのこの作品になっています。

人物以外に鳥や謎めいた像など、興味深いモチーフも描かれているので、ぜひゆったりと時間をとり、作品を眺めながら「答えが出ない謎解き」を楽しむのも一興。こうした思考のひとときは、アートでしか味わえない醍醐味です。

印象派以降、アートはより個人の内面世界を描くものに変わっていきます。ゴーギャンは、一時期南フランスのプロヴァンス地方にあるアルルで制作するなどゴッホと親交があったことで知られていますが、ピカソ、マティスなどのアーティストにも大きな影響を与えています。

ゴーギャンは、多く旅をして異文化を描く、民族や国を超えたコスモポリタン的なアーティストの先駆者の一人でもあります。

次のチャンスは「既存のものを否定する者」にやってくる

一般に「西側の経済を牽引しているのは、プロテスタントの国が多い」と言われます。マックス・ヴェーバーの『プロテスタンティズムの倫理と資本主義の精神』（岩波文庫）で論じられているとおり、仕事を苦痛ではなく〝選ばれし者の能力の追求〟と位置づけたプロテスタントの考えが、資本主義にうまく適合したのでしょう。

確かに米英独や北欧、オランダなどは皆プロテスタントです。

そんな中、カトリック教徒が多いフランスは経済発展しており、EUでも中心的存在。私は長年それが不思議だったのですが、フランス革命に代表される〝革新の精神〟がイノベーションをもたらし、経済発展を生んだ一因であるとの仮説をもっています。

既存のものを否定する力は、独創的なアートの原動力。すべての価値観を変えた革命の空気から、ロマン主義の天才・ドラクロワが生まれたことは、至極当然とも思えてきます。

既存のものへの挑戦の一つが、フランス発祥の「アール・ブリュット（Art Brut）」。フランスのアーティスト、ジャン・デュビュッフェが20世紀半ばに提唱したもので、Brutはフランス語で「素朴な、未加工の」という意味です。英語では「アウトサイダー・アート」と呼ばれ、既存の美術の潮流ではないアートを指します。

障がい者によるアートという解釈もありますが、デュビュッフェは精神を患う者、孤独に生きる者、社会不適合者、受刑者、あらゆる種類のアウトサイダーたちのアートを集め、その独自性を評価しました。

近年、注目されているアール・ブリュットは、「なんともフランスらしい」と私には思えます。フランスは西ヨーロッパの中心に位置しながら、宗教、アートでは長くイタリアに勝てずにいました。

宿敵であるイギリスとの抗争でも後塵を拝することが多く、植民地時代は〝ヨーロッパの陣取り合戦〟に参加したものの、カナダを含む北アメリカ大陸やインドなど、多くがイギリス領となっています。

20世紀前半はドイツに敗れ、ナチスに占領されるという屈辱を味わい、第二次世界大戦後には、ようやく手にした芸術文化の中心的地位が、パリからニューヨークへと移ってしまいます。

このような、トップに手が届きそうなのにトップになれない〝挑戦者の歴史〟が、「既存のものを壊して革新を起こす」というフランス人の反骨精神につながったのではないかと私は考えています。チャンピオンが保守的で、挑戦者がよいパフォーマンスをするのは、ボクシングの試合に限った話ではないのです。

ヒット商品を見てもわかるとおり、一番売れるのは決して斬新ではない多数派で、みんなが「いいね！」と思うものです。しかし、そのヒット商品の前に登場し、時代の流れを変えるのは、いつも新しくて珍しい少数派、いわば商品版「アール・ブリュット」だと思うのです。

「革新のアップルVS.大展開のマイクロソフト」の対比はビジネスパーソンなら当たり前すぎて話題にもしないことでしょうが、「アール・ブリュット」的なアートの視点で、ビジネスや新商品を考えるのも意外に面白い。

特に価値観が多様化し、「みんながいいと言うものを、大量に」というスケールメリットが通用しなくなってきている昨今、ビジネスのヒントはアートにあると私には感じられるのです。

第6章 勤勉で緻密で先進的――北部ヨーロッパ

ドイツ・クラシック音楽でキリスト教の〝底力〟を知る

地中海ヨーロッパと北部ヨーロッパは対照的で、地中海が開放的で明るいのなら、北部は慎重で重厚。両者は大きくとらえると、カトリックとプロテスタントの対比でもあります。

現在の北部ヨーロッパの勤勉さや緻密さは、プロテスタントの体現のように思えます。

歴史的に言うと、ドイツはかつて神聖ローマ帝国でした。古代ローマ帝国を継承しているように見えてその実は、地方分権的な領主の集まり。

17世紀から18世紀のオーストリアを含むドイツ語圏では、バッハ、ハイドン、モーツァルト、ベートーヴェンが後世に残る音楽を生み出しました。モーツァルトやヴェルディなど数多くの作曲家がつくっている〈レクイエム〉はラテン語で「鎮魂歌」を意味し、死者の安息を祈るミサ（ローマ・カトリックの祭礼、礼拝）で流されていました。

日本の雅楽と神道に密接な関係があるように、音楽と宗教は切っても切れない関係です。北部ヨーロッパにおいても、聖書にインスピレーションを得て生まれた名曲は数え切れません。たとえばバッハの〈マタイ受難曲〉は、新約聖書の「マタイによる福音書」に記されたイエスの受難を扱った楽曲。3時間にわたる大作で、バッハの最高傑作の一つとも言われています。

ヘンデルの〈メサイア〉は、救世主《メサイア》、すなわちイエス・キリストを扱っています。イエスの誕生、受難、磔《はりつけ》から復活までを扱っており、有名なハレルヤ・コーラスは、「ヨハネの黙示《もくし》録《ろく》」に由来します。

ちなみに「ハレルヤ」というのは、ヘブライ語で「神をたたえよ」という意味です。キリスト教に対する理解は、世界における教養と分かち難く結びついていることがわかります。

ハイドンの代表作の一つ〈天地創造〉は、旧約聖書の「創世記」とイギリスの詩人ミルトンの叙事詩「失楽園」をモチーフに作曲されています。

言語的に母音で終わる単語が多いイタリア語は歌に向いており、オペラが多く生まれたと述べましたが、子音で終わる単語が多いドイツ語は、語尾を伸ばして歌いにくく、その点でやや不利だったと言われています。

一方で、楽器演奏は高い技術や緻密さ、協調性が要求され、ドイツ人の得意分野。オーケストラの起源は古代ギリシアですが、各人が役割をきっちりと果たして協力するドイツ語圏で発展を遂げたのです。

なぜドイツでは絵画がさほど発展しなかったのか

さて、これほどまでに音楽に秀でているドイツですが、「ドイツの絵画というと、あまり名前が出てこない」という声はよく聞かれます。

数多くのカトリックらしい宗教画や王侯貴族の肖像画が描かれましたが、音楽と比べると存在感が薄い。それにも宗教が大きく影響しています。

16世紀、宗教改革を起こしたマルティン・ルターは神聖ローマ帝国・ザクセン出身。神学校で学んだ熱心なカトリックの司祭でした。長らく権力を握った組織が腐敗するのは古今東西、変わらないようで、当時のカトリック上層部は「罪を犯しても、この贖宥状《しょくゆうじょう》を買えばチャラにしますよ。ただ、ものすご〜く高いですけどね」という具合に、不透明な資金調達法や不正がまかり通っていました。

SNSで内部告発をする時代ではありませんから、ルターは真っ向から「95か条の論題」という文書を突きつけ、大騒動が巻き起こります。こうして「抵抗」を意味するプロテスタントが誕生した――と、ざっくりまとめられますが、この抵抗運動は私たちには想像もできないほど、勇気のいるものでした。

当時ローマ教皇に反対意見を表明することは異端であり、死刑になって当たり前。どこぞの国の独裁者と同程度の圧政でした。ルターとほぼ同時代の天文学者コペルニクスは、教会の信じる「天動説（地球を中心に太陽も星も回る）」に反するという理由で、『天球の回転について』を出版できずにいたほどです。

ちなみにコペルニクスは、出版前のゲラが到着した日に病死。生きて本を手にできなかったのは不幸だったのか、ローマ教皇の弾圧にあわずにすんだことが不幸中の幸いだったのか、考えさせられます。

すでに述べたとおり、プロテスタントの広がりの背景に「自国の言葉の聖書を、印刷技術の発展で普及させた」という〝言葉の力〟があります。教会や司祭というバイアスを介さない聖書を自分で読み、神と直接対峙して自分なりに解釈し、主体的に行動する――これは現代社会の個人主義のスタートと言っていいでしょう。

反カトリックで始まったプロテスタントは、華美な装飾や宗教アートを避けました。もともととの教義である偶像崇拝禁止に立ち戻り、宗教画を禁じた宗派もあったほど。そこまでいかずとも、あくまで聖書の教えが中心です。こうした歴史が影響し、プロテスタントゆかりのドイツ周辺では、絵画や彫刻などのアートがさほど発展しなかったと考えられます。

もちろんアーティストは存在し、アルブレヒト・デューラーはルネサンス期のドイツの代表的存在。宗教画を多く残していますが、私が「ドイツらしい！」と感じるのは、版画で作品を量産して有名になったこと。木版画の〈黙示録〉は大ヒットし、自国の言葉の聖書を印刷技術で普及させたプロテスタントに通じるものを感じます。

しかし、その後の絵画はやや存在感が薄く、ロマン派のカスパー・ダーヴィト・フリードリヒや同じドイツ語圏のオーストリア・ウィーンでクリムトやエゴン・シーレが花開くのはずっと後になってからです。

逆に言うと、ドイツはドイツならではの思索を究め、カント、ヘーゲル、ニーチェ、ハイデガーという哲学者を生みました。ドイツの思想や哲学について「深い森」と形容することがありますが、その思想の深さ、広がりに敬意を表した言い方だと思います。

新約聖書の「コリント人への手紙　第一」には、「それぞれ違う能力を与えられた者が、共に力を合わせて神の教えを成し遂げなさい」という意味の記述がありますが、ドイツの人々に与えられた〝能力〟は歌や絵画、彫刻ではなく、器楽や哲学だったのかもしれません。

ワーグナーが物語る、権力者のお気に入りになるリスク

ドイツ人に「歴史上、一番ドイツ的な文化人は？」と聞くと、ワーグナーと答える人が多くいます。モーツァルトはドイツ語圏ですが、オーストリアの人です。

ドイツのボン出身のベートーヴェンは、パトロンとしての王侯・貴族の援助をあまり受けずに、自らの力で音楽家の道を切り拓きました。フランス革命時からその後の混乱期に生きたベートーヴェンには、市民社会や個人の力への強い信頼感があったのだと思います。

ベートーヴェンの偉大さは誰しも認めるものの、ウィーンでの活動が長かったこともあり、ドイツというよりも、より広くヨーロッパ社会、世界全体を見据えて作曲をしていたように感じます。そのため〝ドイツ的〟という点では、ワーグナーに一歩譲るのではないでしょうか。

19世紀初め、ドイツ・ライプツィヒの音楽好きの一家に生まれたワーグナーは、神話と哲学、演劇と音楽とを融合させた、楽劇と呼ばれる新たなオペラを確立。これはたいていのビジネスパーソンが知っている一般知識ですが、ワーグナーを知らない若い人でも、〈ワルキューレ〉などを聞けば「ああ、あの曲！」と反応するはずです。壮大で劇的な楽曲は映画やドラマに幅広く使われ、アニメやゲーム音楽にも多大な影響を与えたと言われています。

「ドラクエっぽい音楽」という声もあるほどで、インスパイアされたアーティストは数知れず。世界中に熱狂的なファン〝ワグネリアン〟がいますが、その中の一人がヒトラーでした。

1806年、ナポレオンによって神聖ローマ帝国は解体されました。ドイツ連邦の成立は1815年、ワーグナーが2歳の頃です。しかし、この連邦はややわやわな緩いもので、野心まんまんの隣国に狙われていました。プロイセン首相のビスマルク主導で、ようやくドイツ帝国が誕生するのは19世紀も終わりに近づいた頃。しかし第一次世界大戦では敗戦国となり、「ワイマール共和国」として再編成されたものの、不安定なまま。

「ドイツ人のための、強い統一国家をつくろう!」という悲願がなかなか果たされない中、わかりやすい民族主義を掲げて登場したのが、ナチスでした。

人を高揚させるワーグナーのドラマチックな音楽は、ヒトラーの好みにぴったり。名もなき画学生の頃から、ヒトラーはワーグナーのオペラ〈ニーベルングの指環〉などを聴き込んでいました。

さらにワーグナーは、論文「音楽におけるユダヤ性」で「ユダヤ人の芸術は模倣である」と批判しています。「人を熱狂させる大音楽家がユダヤ批判をしている!」というのは、ヒトラーにとっては好都合。このような経緯によって、ワーグナーの名曲はナチスのプロパガンダ音楽として演奏されていくのです。

ワーグナーには、反ユダヤ主義の傾向が多少なりともあったのかもしれません。しかし、ユダヤ人音楽家との交友もあり、凝り固まった差別主義者とは言い難い。ユダヤ人の芸術への批判というよりも、メンデルスゾーン個人への批判の側面が大きいと私は考えています。

メンデルスゾーンはドイツの裕福な銀行家の一家に生まれ、ロマン主義の華やかで優美な旋律が特徴でした。「ドイツ人らしさ」にこだわったワーグナーとは異なり、メンデルスゾーンは特にユダヤ人らしさを強調するわけでもありません。

ただし、才能溢れる両者が比較されうる存在だったのは事実で、そのためにワーグナーはメンデルスゾーンの楽曲を、「あれはユダヤ人音楽だ」と批判したのではないでしょうか。

今の時代、あるアーティストがライバルに対して「あいつは○国出身だからダメだ」などと出自を根拠に誹謗中傷をしたら、完全にアウト。許されることではありません。

しかしワーグナーが生きた頃、人権意識やモラルはまだまだ確立されておらず、「ユダヤ人だから云々」という偏見は、多くの人が悪びれずにもち、口にしていました。

ヒトラーが台頭した頃、ワーグナー自身はすでに世を去っていたことを考えても「ワーグナー＝ナチス音楽」と決めつけるのは、稀代の天才に対してあまりにも気の毒でしょう。

ちなみに〝ワーグナー推し〟の権力者はヒトラーに限らず、バイエルン国王のルートヴィヒ

2世は熱狂的ファンにしてパトロンであり、彼が建てたノイシュヴァンシュタイン城には「ワーグナーの世界を再現したい」という情熱が込められています。

名もなき職人からアーティストになっても、才能だけで生活していくのはたやすいことではありません。音楽でも絵画でも、宮廷や教会、そして富裕層が長い間パトロンでした。フランス革命を経て印象派が誕生した19世紀末には、アーティストはすでに個人として活動していますが、極貧の中認められないまま亡くなったり、富裕層や権力者の庇護下にあったりします。

大富豪でも独裁者でも、「権力者のお気に入り」となれば、生活の心配をせずに創作活動に打ち込み、時代のスターとして一世を風靡《ふうび》できます。

しかし、潤沢な資金で制作した〝自由なアート〟には、ひっそりと権力者のサインが入っていた──そんな〝陰の支配〟があることも忘れてはなりません。

近代以前のアートやアーティストを理解するうえで、これはとても重要な視点です。

アウシュヴィッツでの虐殺を強烈に表現した、リヒター

今なお活躍を続けているドイツを代表するアーティストとして、ゲルハルト・リヒターを忘れるわけにはいきません。90歳を超えてなお現役、時代の変化の目撃者でもあります。

リヒターは1932年に旧東ドイツのドレスデンで誕生し、ベルリンの壁でドイツが東西に分断される直前の1961年に西ドイツに移住。東ドイツの社会主義にいったんは共鳴したものの落胆し、西への移住を決めたのです。

「第二次世界大戦下のドイツの過ちに、最初に向き合ったドイツ人アーティスト」そんなふうにも評される彼は、写真と絵画を融合させた「フォトペインティング」という手法のアーティストとして知られています。代表作は連作〈ビルケナウ〉。ご存知のとおり、ホロコースト（ナチス・ドイツによるユダヤ人大量虐殺事件）の舞台となったアウシュヴィッツ・ビルケナウ強制収容所がテーマとなっています。

私もアウシュヴィッツを訪れたことがありますが、今なお残るガス室、人が眠ることなど不可能に思える棚のようなベッド、奪われた膨大な数の鞄や切られた髪、人間の尊厳を損なうためにあえて仕切りをなくしたトイレなど、「人はここまで残酷になれるのか」という負の遺産に言葉を失いました。

リヒターはまず、アウシュヴィッツにいたユダヤ人が撮影した写真を丹念に模写し、その上に抽象絵画（アブストラクト・アート）を重ねました。つまり一見すると、白と黒をベースにした色のアートで、タイトルを見ない限りアウシュヴィッツの光景は見えてきません。

私は愛知・豊田市美術館の企画展でこの作品と出会い、「見えなくなっても、決して忘れてはいけない」という強烈なメッセージを受け取りました。

ナチスの罪を、どう扱うのか。自国が加害者であった人類の暗部を、詩的な情感を込めたアート作品として創造できるのか、創造してもよいのか――それは戦後の多くのドイツ人アーティストに突きつけられた大きな課題であり、それを課題と受け止めること自体、私には哲学的なドイツ人らしさに感じられます。

私は2023年9月に、ドイツのトリーア大学にてドイツ人と日本人の学生・大学生を対象に〈ビルケナウ〉など日独のアートを扱ったワークショップを担当させてもらいました。

ホロコーストをドイツ人の前で扱うことに、不適切な形でファシリテーションをしてしまうのではないかと一抹の不安もありました。しかし、そのようなことは杞憂で、ドイツ人側が、リヒターの絵画を通じて深く自国の歴史を振り返る姿勢に、強く心を動かされました。

「アートを通じて、歴史と向き合う」ことは、これからのリベラルアーツ教育において、もっと取り入れられる必要があると思います。

ドイツと日本を比較した場合、前者においてはナチス・ドイツによる負の文化政策を反省する「記憶文化」が推進されたのに対し、後者においては戦争の記憶に繰り返し取り組む現代アーティストは少ないのではないでしょうか。

アートは文学ほど直接的ではありませんが、抽象的に見えるものにメッセージを込めます。

戦争の記憶など世代を超えて受け継ぐべきことについては、日本ももっとアートを活用すべきではないかと考えさせられました。

〈バベルの塔〉が雄弁に語る、人間の〝傲慢さ〟

本書の取材を兼ねて、2023年1月にウィーンの美術史美術館を訪れたときのこと。私はピーテル・ブリューゲルの〈バベルの塔〉（口絵9ページ参照）を見ているうちに、作品の前にあるソファに座り込んでしまいました。

かつて人々は一つの言語を話していましたが、やがて神を畏《おそ》れず「天にも届け」と高い塔をつくり始めます。それに怒った神は、人々を異なる言語で分断して交流できないようにし、塔は完成しなかった――旧約聖書の「創世記」に出てくるバベルの塔の物語は、よく知られています。

ブリューゲルはそれを描いているのですが、人類の傲慢さへの批判は、今を生きる自分にも突きつけられていると私には思えたのでした。

ブリューゲルが〈バベルの塔〉を描いたのは1563年。日本でいうと織田信長が今川義元を破った桶狭間の戦いから3年後の戦国時代です。それほど昔のものなのに、今日的なテーマとも言えます。

本書を執筆している時点での世界一高いビルは、828メートルあるドバイのブルジュハリファで、上海タワーが後に続きます。そして、サウジアラビアが「記録更新！」とばかりに1000メートルに及ぶジッダタワーを建設中です。

〝高い塔〟は比喩であり、技術革新と考えることもできます。人類は科学技術の発展によって、神に近い力をもつようになりました。〝神なき地球の君主〟として動植物の生存を侵し、自然環境を破壊し続けています。コロナ禍や地球温暖化という問題に直面しながらも、懲りることなく、まだなお〝高い塔〟をつくろうとしている。

資本主義の限界が語られ、民族の分断が深刻になる中、いまだテクノロジーは「より高く、より速く、より多く」の追求であっていいのだろうか。

神から見れば、懲罰に値する傲慢ぶりではないのか？

精緻で美しいブリューゲルの筆致は、16世紀のネーデルラントらしい風景や、貴族らしき人々、崩れゆく塔の様子を実にリアルに描いています。途中までは豪華な塔なのに、足元は瓦《が》礫《れき》、それを見つめる人々――その皮肉さをぼんやりと眺めながら、座り込んだソファであれこれ考えているうちに、気がつけば20分もたっていました。

仮に、これが「環境破壊を無視し、テクノロジーの発展だけを追求してはいけない」というような言葉による警告だったら、素通りしていたはずです。

ことほどさように、改めてアートの底力を思い知らされました。

フェルメールから読み解く「オランダの先見性」

ブリューゲルが活躍した頃のオランダは、ベルギー、ルクセンブルク、一部フランスを含むネーデルラント連邦共和国でした。アートの歴史としてはバロックにあたる17世紀になると、ルーベンスやレンブラント、フェルメールを輩出しています。

17世紀のオランダはヨーロッパの海運の拠点であり、プロテスタントとしてカトリックのスペインから独立し、意気揚々と世界に乗り出していた成長株の国。長崎の出島に拠点を設けて、江戸幕府との交易を開始したのもこの頃です。

1568年、カトリック大国スペインの支配を逃れようと立ち上がったネーデルラントが、「ネーデルラント連邦共和国」として1648年に正式に独立を果たすまでかかった年月は、80年！

そのため独立戦争のことを「八十年戦争」と呼ぶこともあるくらいです。アメリカ独立戦争は8年間ですから、いかに粘り強く、苛烈な戦いだったかわかるというものです。

プロテスタントの国と言って真っ先に思い浮かぶのは、宗教改革の担い手ルターを生んだドイツですが、オランダも戦い抜いて信教を守った、プロテスタント国家の〝一丁目一番地〟的な存在。当時のドイツは、前述のように多くの領邦に分かれて統一感が今一つのうえに、カトリック教徒も多数残っていました。その点オランダは、プロテスタント化と独立がおおよそ同時期だったので、プロテスタント色が強く表れています。

オランダを代表するアーティストのヨハネス・フェルメールは、市民社会を体現する存在です。色彩の美しさや独自の光の捉え方、緻密な描写は評価が高く、秦新二《はたしんじ》さんの巧みなプロデュースもあって、特に日本では大人気です。

北方のモナ・リザと言われる〈真珠の耳飾りの少女〉のように「フェルメール＝女性像」のイメージが強いものの、宗教画も描いていることにも注意が必要です。プロテスタント国家になっても、宗教画は重要なモチーフとして残りました。

フェルメールの実家は宿屋を営むプロテスタントですが、妻のカタリーナの実家はカトリック。そのためカタリーナの親から結婚を反対され、フェルメール自身、カトリックとプロテスタントの間で苦悩することもあったようです。

彼は画業と並行して実家の宿屋を経営した時期もあり、地元の裕福な醸造家というパトロンも確保。妻の実家の援助で独特の青を表現できる、高価な鉱石のラピスラズリを入手し、アーティストが集まる「聖ルカ組合」の組合員として社会的信用を確保し――と、フェルメールの生き方は合理的です。

「王様のお気に入りの宮廷画家」や「どん底の生活でひたすら描いた破滅型アーティスト」と比べると現代人の生活感覚に近く、プロテスタントらしいとも言えます。

さらに、フェルメールの〈手紙を書く女〉（口絵10ページ参照）に代表される作品は、プロテスタントの女性の識字率の高さを物語っており、当時のオランダでは他国に比べて女性の地位が高かったことがうかがえます。

〈牛乳を注ぐ女〉〈レースを編む女〉など働く女性の姿も描かれ、浮世絵よりも前に市井の人々に目を向けているのも、フェルメールの先見の明と言えるでしょう。

オランダは東インド会社で交易を行い、世界で初めて株式会社を誕生させた国。現在は人口1700万人あまりと小国であるため、EUの中では人口や経済規模が大きい国の陰に隠れてしまいがちです。しかしイギリス、フランス、ドイツの3国の間にあり、対外的な進出に積極的であることから、ヨーロッパ諸国では経済のハブの一つになっています。

「大国は国内マーケットが大きいゆえに内向き思考になるが、小国は外でビジネスをしなければ立ちゆかないので、外向き思考になる。ゆえに小国のほうがグローバル志向になる」

これは私の仮説で、オランダ、ベルギー、スイス、韓国などが例としてあげられます。

仮に大国であるフランスで起業するとしたら、フランス社会に溶け込み、フランス文化を理解することが必須で、それはドイツも同じです。

オランダにもオランダ文化はありますが、小ささゆえに他文化も受け入れ、ダイバーシティも広がりやすい土壌がある。ビジネスでつき合いがあるオランダ人はそう多くありませんが、当たり前に英語で話せますし、いい意味で国としての個性を主張しすぎないフラットさを感じます。

さらにオランダの強みは、フェルメールにもみてとれる先見性。2001年に世界で初めて同性婚を認め、安楽死も2002年から合法です。

「脱成長」を提唱する経済学者も登場し、「大きいことはいいことだ」「成長することが目的」という考え方が絶対でなくなっている昨今、「フェルメールの絵は美しい！」と感動に浸るのもいいのですが、先見性からくるダイバーシティを、美しいアートから考えてみてはどうでしょう。

田園地帯を愛する文学と演劇の国イギリス

イギリスで絵画が長く発展しなかった理由の一つは、カトリックを離脱したことにあります。きっかけはやはり宗教改革ですが、その後ヘンリー八世が「王妃と離婚したいんだ」とイギリス国教会を設立したというのは、やや誇張された有名な実話。カトリックの教えでは、離婚は認められないからです。

完全にプロテスタントの国になるまでには、複雑で血にまみれた王位をめぐる権力闘争がありました。親戚関係にあるヨーロッパの王族が参戦した、カトリックVS.プロテスタントの代理戦争でもありました。

激しい争いだったがゆえにカトリックから離れた際、イギリスは多くの宗教美術を破壊しています。日本で言うと廃仏毀釈《はいぶつきしゃく》のようなもので、宗教画を否定した代わりに風景画や風俗画が発展しました。

18世紀のウィリアム・ホガースの社会的風刺画は、「政略結婚で結局不幸になる」といったイギリス人らしい、シニカル（辛辣的）なものの見方を表しています。

アングロサクソン系の人々はクリティカルシンキング（批判的思考）が得意なように感じることが多いのですが、ホガースのシニカルさは、イギリス人を理解するうえで参考になるように思います。

……とまあ、このように書くと教科書的で美しいのですが、イタリアやフランスに比べると、イギリスの絵画はあまり強くありません。シェイクスピアという天才の出現で、文学と演劇が急激に発展したこともあり、アートの情熱はそちらへ向かったように感じます。

それでもイギリスを象徴する画風はあり、代表的なのは19世紀のロマン主義のコンスタブルとターナー。1歳違いのアーティストは、いずれもイギリスの田園地帯を好んで描いています。

フランス人は言ってみれば都会派が多く、王政時代は「市民はみんなベルサイユ近辺に住むといいよ」とされ、「どんなに小さなアパルトマンでもパリから離れたくない」というタイプが多数います。その点、イギリス人は田園地帯を好み、イギリス貴族は「本拠地はあくまで自分の領地のお城、ロンドンは仮住まい」というライフスタイルでした。

イギリスでは「老後はカントリー・サイドで生活を送るのが一般的な夢」（詳細は『テムズとともに～英国の二年間』〈徳仁親王著〉を参照）なのだと思います。

私は留学の機会に恵まれたこともあってイギリスに友人・知人がいますが、「ずっとロンドンに住んでいると疲れる」という人が少なくありません。フランス人も都会を離れて避暑地でバカンスを過ごす伝統がありますが、イギリス人はいささか違います。

「平日はロンドンで仕事や人づき合いをし、週末は田舎で過ごす。田舎の家でのんびりテニスやガーデニング、読書や考えごとをして、日曜の夜はまたロンドンに戻る」

つまりデュアルライフ（二拠点生活）に近く、都会のみに住むことには抵抗があるようです。

そういえばイギリス王室の人たちも頻繁に郊外のお城で過ごし、亡くなったエリザベス女王は、晩年までウィンザー城で乗馬を楽しんでいました。

貴族や上流階級の人々は領地である田園地帯を好み、イギリス人一般は自然に親しんでいます。ロンドンの裕福な家庭出身の女性が、セカンドハウスがある湖水地方に魅せられ、やがてそこで農業をしながら執筆に打ち込んだ――こうして日本でも人気の高い、ビアトリクス・ポターによるウサギたちの絵本『ピーター・ラビットのおはなし』が誕生しています。

田園地帯と自然を好むというイギリス人らしさは、ジョン・コンスタブルに顕著で、故郷・サフォーク州の風景を、空気感を含めて捉えた**〈デダムの谷〉**（口絵10ページ参照）などがあります。特徴とされる重く湿った雲の描写の巧みさも、幼い頃から繰り返し眺めてきた故郷だからこそ成し得た描写に見えます。

純粋にアートを楽しむなら、コンスタブルでもターナーでもいいのですが、ビジネスパーソンとして思考のツールにするなら、私はウィリアム・ターナーの**〈雨、蒸気、速度――グレート・ウェスタン鉄道〉**（口絵11ページ参照）に注目したいと思います。なぜならイギリスの強みは、自然と最先端テクノロジーの融合にある。そんなメッセージが感じ取れるためです。

ケンブリッジ大学もロンドンから1時間ほどの地方都市で、15分も歩くと田園地帯が見えてきます。田舎でありながらノーベル賞受賞者が多く住み、多数のスタートアップが生まれるイノベーションの発祥地。その絶妙なコントラストが、〈雨、蒸気、速度〉には宿っています。

鉄橋を渡る蒸気機関車は全体におぼろで、だからこそ疾走している姿を感じ取れます。空に広がる雨雲と機関車から噴き出す蒸気が溶け合うさまは、イギリスが技術のトップランナーであった産業革命時代そのもの。

素の自分になれる場所を確保しつつ、良質の仕事を続けるライフスタイル──すなわち〝田舎と都会のいいとこ取り〟は、コロナ禍を境に普及したリモートワークで可能になってきました。

新たな発想を生む場所は、自分にとってどこなのか？ 無理をせずに生きられる場所は？ どこか茫洋《ぼうよう》としたターナーの作品を見つめつつ、自問してみると、思わぬ回答が得られるかもしれません。

産業革命は人類の歴史を変える大転換ですが、私たちはテクノロジー革命という同規模とも、それ以上とも言われる転換期を、今まさに生きています。

未来は誰にも見通せませんが、歴史を振り返りながら思いを馳せることは可能です。そのための手がかりも、この絵に潜んでいるかもしれません。

第7章　コンプレックスと抑圧
――ロシアと東ヨーロッパ

天才画家カンディンスキーが突如出現する、不思議の国ロシア

2022年のウクライナ侵攻以来、世界がロシアを見る目が厳しくなっています。しかし悪評が渦巻いているからこそ、アートを通して理解できることが多くあります。

その象徴たるアーティストが抽象絵画（アブストラクト・アート）の先駆者、1866年ロシア生まれのワシリー・カンディンスキーです。

まずは抽象絵画の誕生について、さわりだけまとめておきましょう。19世紀初めまで、絵画は記録の用途も兼ねていました。王侯貴族や富裕層、軍人は己の姿を絵画で残そうとしたのです。できるだけ本物に近く、それでいて威厳や美しさを備えたもの――しかし19世紀に登場した写真技術によって、そのニーズは終わります。

常に新たな表現を模索するアーティストたちは自分の感じたことを表そうとし、印象派、ポ

スト印象派が生まれるというのが大きな流れです。ここまでの具象絵画は、古典的な宗教画から印象派に至るまで、対象物を一つの視点で捉えて表現していました。

変化が起こるのは20世紀初め。ポスト印象派のセザンヌによる「すべての対象物を球、円柱、円錐《えんすい》で表現する」という作画法に触発されたピカソやブラックが、「キュビズム」を始めます。

一つの視点から見れば、人の顔は目があり鼻があり口がありますが、真上から見たら丸い頭頂部が見えますし、横顔と正面の顔は異なります。このようにさまざまな視点から見たものを一枚の絵として描くのがキュビズムで、ピカソの〈アヴィニョンの娘たち〉は「こんなものが絵なのか！」と、非難囂々《ごうごう》の大論争を巻き起こします。

ちなみにキュビズムの名は「ジョルジュ・ブラックはすべてを立方体で描く」という美術評論家の言葉がもとになっています。ピカソとブラックが取り組んだこの画法はまさに革命で、現代アーティストにまでつながっています。

その後に登場するのが、ロシアのカンディンスキーです。モスクワ大学で法律と経済を学んだ彼は、モネの〈積みわら〉に魅せられ、30歳で画家の道へ。ミュンヘンの画塾に入り、パリで学び、自分の作風を模索していたある日、アトリエにあった自分の作品に強い衝撃を受けます。ピカソ？　ブラック？　いいえ、上下逆さまに置かれた自分自身の作品でした。

「上下逆で、何が描いてあるかわからないのに、惹かれるものがある。アートは具象でなくてもいいのではないか？」

これこそ、アーティスト・カンディンスキーの誕生でした。正しい向きでは気づかなかった、色彩や構成の美しさを悟ったのです。

具象絵画であれば、描かれているのが人間なのか動物なのかはわかります。しかし「何が描かれているのかよくわからない」「解釈によって異なる」というのが抽象絵画です。

彼の代表作の一つが、〈コンポジションⅦ〉（口絵11ページ参照）。カンディンスキーの抽象絵画の頂点と言える作品です。これを見て、何が描かれているのか、具象絵画の観点から説明できる人はいません。

リンゴを見てリンゴを描くのではなく、リンゴから「感じたこと・考えたこと」を自由に描く。表されるのはリンゴの形ではなく一本の線かもしれないし、色は赤でも淡いグリーンでもなく黒かもしれない。また、リンゴという対象物すら存在せず、自分の気持ちや思想を色や形で表現してもいい――カンディンスキーが始めたのは「純粋抽象絵画」と呼ばれる表現であり、既成概念から自由であるからこそ、見る人の心にダイレクトに訴えかけてきます。

そもそもカンディンスキーが〈積みわら〉を見て画家を志した際、「何が描かれているかわからないのに感動した」というのはよく知られた話。そのほかパリ滞在中の彼が、ピカソやブラックの「キュビズム」や、マティスやルオー、ドランの「フォービズム（形態を単純化して、心情を強い線と色彩で表現するアート）」に影響を受けた説。生まれつき「音が色で感じられる」という共感覚のもち主で、それを表そうとした説……。

私個人は、共感覚説に惹かれます。先述した〈コンポジションⅦ〉もどこか、音楽のように見えます。絵画と音楽は、人間の感じたこと・考えたことを形にするという点で共通しており、人間と社会の本質を抉《えぐ》り出す点で、両者はとてつもなく似ているように感じるのです。

諸説ありますが、ごく普通の絵を描いていたカンディンスキーの目覚めが、現代アートに多大な影響を与えたのは間違いありません。

西洋アートの世界的大事件で〝蚊帳の外〟だったロシア

美術史的な解釈は専門家に譲るとして、私には抽象絵画を生んだ背景に、ロシアという国の民族的・宗教的な複雑さがあるように思えます。

ロシアは実に不思議な国です。ヨーロッパのようでヨーロッパではない、少なくとも西ヨーロッパとは大きく違う――これは地理的にヨーロッパの強国から遠いこと以上に、カトリックでもプロテスタントでもないという点も大きく影響しています。

キリスト教会は古代ローマ帝国の東西分裂に応じて、カトリックと正教会に二分割されました（紀元395年、本格分裂は11世紀）。それ以来、ロシアはギリシャなどと同じ正教会となり、同じキリスト教とはいえ、かなり異なる文化を育んできました。

これはすなわち、近代ヨーロッパをつくり上げた世界的二大事件である「ルネサンスと宗教改革」を経験していないことを意味します。

ルネサンスは文芸復興であると同時に「キリスト教が前面に出る世の中から脱却して、人間中心に立ち戻ろう！」という社会運動の側面ももちます。ところが、ロシアでは大きな運動になりませんでした。

その後、反カトリックのプロテスタントが生まれた宗教改革が、社会にも西洋アートにも多大な影響を与えたのはすでに述べたとおりですが、ロシアは部外者でした。

「すごーく遠くにあるし、世界史上の大事件にも関係ないよね」

ヨーロッパから見たロシアがこんなポジションだったことは、今のロシアを理解するうえでも重要なポイントです。皆に「あなたははずれ者だ」とみなされ、プライドを折られた当事者が、何も感じないはずなどないのですから。

ロシアの「豪華好みと専制政治」はイコンの影響？

正教会はキリスト教徒の一大潮流であり、ロシアをはじめ信徒は2億人ほど。正教会の教会として日本国内で有名なのは、東京・お茶の水のニコライ堂（東京復活大聖堂）であり、18

91年に布教の日本拠点として竣工した明治の名建築の一つです。

正教会の教会は豪華できらびやかなことが多く、簡素なプロテスタント教会はもとより、ステンドグラスなどで飾られるカトリック教会よりもデコラティブで、金銀キラキラを超えてギラギラなことが多々あります（口絵16ページ参照）。

私はウクライナ・キーウの聖ソフィア大聖堂にも足を運びましたが、まさに圧巻。厳しい現実社会から乖離《かいり》した、神の偉大さに触れる場所だと感じました。

ちなみにユネスコの世界遺産委員会は2023年9月、世界遺産となっている首都キーウの「聖ソフィア大聖堂と関連する修道院群」とウクライナ西部・リビウの歴史地区の2カ所を「危機遺産」に指定しました。ロシアからの攻撃や破壊を危惧しての決定であることは明白です。実際にロシア軍はウクライナの多くの文化財を攻撃しており、2023年9月時点で宗教施設をはじめとする289もの文化的遺産が被害にあっているとユネスコは発表しています。

ウクライナの世界的な遺産がこれ以上喪失しないことを、ただただ祈るばかりです。

話を戻しますが、正教会のイコンを見ていると、豪華さや華やかさを好むロシア人像が浮かび、それはボリショイ劇場やマリインスキー劇場などの世界最高峰のバレエにつながっているように思います。

ところでイコンとは、イエスや聖母マリアなどの聖像の意。カトリックやプロテスタントにもありますが、単に「イコン」と言うと、主に正教会のイコンを指します。

「正教会もキリスト教だから偶像崇拝は禁止のはずで、イコンでここまで飾り立てるのは矛盾するのではないか？」

こうした疑問をもつ人は多く、私もその一人でした。実際、8世紀のビザンチン帝国（正教会の大もとである東ローマ帝国）では、「イコンは偶像か否か」で大論争となり、イコノクラスム（聖像破壊運動）が起きています。

結局8世紀末に「我々はイコンに描かれたイエスやマリアや聖人を敬っているのであって、イコンそのものを崇拝してはいない」という主張で、論争に終止符が打たれました。

いささか苦しい理屈はどこかの国の政治家の答弁のようですが、正教会というのは「ギリシャ正教」「ロシア正教」というように国ごとの組織があることも特徴。つまり国家権力の影響を受けやすく、「イコンはOKということでいいよね！」という独自の解釈も成り立ちやすいと言えます。

ローマ・カトリックもプロテスタントも国家権力と距離のある別の組織であり、ローマ教皇は時には国家権力と対立し、時には各国の王を意のままに動かしました。

しかしロシアの場合は、政治的権力と宗教的権力とが「=」で結びついてしまった——これが独裁的・強権的な国家になりやすい土壌となったのだと思います。

エルミタージュ美術館がチャイコフスキーを生んだ?

17世紀にロマノフ朝が成立してもなお、ロシアは「ヨーロッパ辺境のアジア的な後進国」扱いのまま。しかし17世紀末にピョートル大帝が登場すると、状況は一転します。

ピョートル大帝は、近代化と国力強化のために西欧的国家を目指し、領土拡大の野望も抱きました。今も昔もロシアにとって「凍らない港」は絶対に確保したいもので、バルト海の覇権をめぐる北方戦争で、スウェーデンを打ち負かします。

これを機に、モスクワからヨーロッパ風のサンクトペテルブルクへ遷都し、悲願のヨーロッパ強国の仲間入り。ピョートル大帝は軍事にも産業にも注力しましたが、文化の発展こそ西欧化の重要条件だと考えていました。

その遺志は次のエリザヴェータにも受け継がれますが、歴史に名を残す後継者は、ご存知のとおりエカチェリーナ2世。エリザヴェータの皇位後継者だったピョートル3世は即位後わずか半年で廃位され、ドイツから嫁いできた妻が〝ロシアの国母〟になりました。

エカチェリーナ2世は、近代的・文化的な大帝国ロシアの象徴として、多くのアートをエルミタージュ美術館に集めました。少し前まで辺境だったサンクトペテルブルクに壮麗な城を構え、アートをずらりと並べたことで、訪問した他国の王侯貴族は度肝を抜かれます。「ロシアのアートは、こんなにすごいんですよ！」という権威づけとして、また「ヨーロッパに比肩する教養がある」というアピールとして使ったのでしょう。

ロマノフ朝による18世紀の蓄積は、19世紀のロシア・アートの大いなる発展につながっていきます。

そして、それまでアート後進国だったロシアが、世界を席巻するチャイコフスキーを輩出。イギリスのアートの項目で、「シェイクスピアという天才の出現で、文学と演劇が急激に発展した」と述べましたが、ロシアでは「チャイコフスキーという天才の出現で、バレエと音楽が急激に発展した」と言えます。

バレエではイワノフ、プティパら才能ある振付師やディアギレフといった興行師（＝総合プロデューサー）が登場し、さらにバレエを発展させます。

日本の外務省に限らず文化外交は重点課題の一つですが、チャイコフスキーを前面に出すことでロシアは「単なる大国ではなく、文化的な国家である」と世界にアピールし、尊敬を得ようとしたのです。

農奴という「負の歴史」に育まれたロシア文学

ロシアを語る際に忘れてはならないのは農奴制で、19世紀後半まで農奴が売買されていました。市場であたかもモノや家畜のように、年齢・性別などを表示した札と共に人間が売り出される――アメリカの奴隷制度と同じです。

他のヨーロッパ諸国にもかつて農奴制がありましたが、19世紀後半まで継続した例はなく、ロシアはあまりにも人権意識が低すぎました。

そこで1861年、アレクサンドル2世が農奴解放令を発令。この背景にはツルゲーネフの『猟人日記』の存在があったと言われています。小説が政治を動かした世界史的に見ても稀な例で、ロシアの有識者の影響力は推して知るべし、です。

19世紀ロシアはプーシキン、ドストエフスキー、トルストイといった文学者も輩出しています。トルストイの実家は貴族階級に属し、500人もの農奴がいたそうで、代表作『復活』は、農奴の解放を目指す青年貴族の苦悩を描いた作品。生まれながらの不平等への疑問や極端な貧富の差は許されないという個人的葛藤、キリスト教の博愛主義につながる強い問題意識が表れています。

日本の江戸時代で、それに匹敵するものは近松門左衛門の戯曲で、身分差別の不条理や道徳的葛藤は描かれていますが、近代の人権意識につながる問題に目を向けた文学作品と言えるかと問われれば、答えはおそらくノーです。「ロシアのような環境下で当時、人権問題に取り組む視点があったトルストイはすごい！」と思います。
農奴制という負の歴史が、それを否定するロシア文学の揺籃《ようらん》となったのでしょう。

残念ながら、アレクサンドル2世の農奴解放令は表面的なものでした。搾取の構造は変わらず、その様子を**〈ロシアの農奴解放の日〉**（口絵12ページ参照）に描いたのはチェコスロバキア（当時）のアルフォンス・ミュシャです。

場所は雪の積もったモスクワ。農奴と思われる群衆の表情は暗く、「農奴の身分を脱しても土地の払い下げには多額の費用がかかり、実際は何も変わらない」という形ばかりの解放令の実態を描き出しています。

ちなみにミュシャは、1900年のパリ万博で注目を集めたアール・ヌーヴォーの画家で、美しいポスターや広告イラストレーションはいまだに使われています。

晩年は歴史画に転向し、オーストリア＝ハンガリー帝国に支配されてきた母国チェコスロバキアの誇りと、スラブ民族のアイデンティティにこだわりました。

〈スラブ叙事詩〉として描かれた20の連作の一つが〈ロシアの農奴解放の日〉です。

ロシア革命後に成立したソビエト社会主義共和国連邦の国家指導者となったスターリンの出

自は元農奴の貧困層ですし、その他の指導者にも貧しい家庭の出身者は多数います。

ロシア革命には専制政治の圧政や労働者の不満、第一次世界大戦後の不況などの要因がありますが、長年抑圧された農奴の子孫や貧困層が社会的不平等に対して立ち上がった戦いとも言えます。

複雑系ロシアの「大国意識」と「周辺国への怯え」

「ロシアは周辺国に怯《おび》える国です」

これは「地政学とグローバルビジネス」をテーマとしたビジネスパーソン向けの研修の際、私が必ずお伝えすることです。多くの参加者が「えっ、脅《おど》すの間違いでは？」と不思議な顔をするのは、世界最大の領土をもち、核兵器まで保有する軍事大国だからでしょう。

かつて「辺境の国」と言われたロシアは、ピョートル大帝の時代以後にヨーロッパの大国ソ連に成長し、戦後はアメリカと並ぶ世界の軍事大国として、軍事・宇宙産業などでアメリカと覇を競いました。冷戦下の巨大権力であり、宇宙開発の分野などで最先端のものをつくり上げる力があったことも確かです。

それでも1991年にソ連は崩壊し、衛星国と言われた国々は次々と独立し、西側につきました。小さくなったロシアは14の国と陸続きで国境を接し、西に強大なヨーロッパ諸国、南にイスラム圏、東に中国が控えています。

2022年のウクライナ侵攻につながる2014年の一方的なクリミア併合は、「クリミアってもともとロシアだったよね？　凍らない黒海の主要な港・セバストーポリは絶対欲しい！」というロシアの欲望に根ざしていますし、「ウクライナもロシアじゃないか！」という主張は「大帝国ロシアの夢よ、再び」というプーチン大統領の野望にあると言われています。

専制と農奴制の傷跡は、人々の中に「どうせ何をやっても無理。すべてあきらめて強い者に従おう」という受動的な心理を植えつけましたし、同時に文学者たちや反体制活動家で服役中のアレクセイ・ナワリヌイのような「死んでも負けないぞ」という不屈の精神も生みます。

王政にしろ社会主義政権の支配にしろ、長く続く独裁的な政治は社会の変化を阻むもので、「科学は先進的なのに社会は保守的」というロシアの矛盾する特徴を生み出しています。

強権的で冷たいという「国家としての印象」と、ロシア人個人の驚くほど人なつこくて情に厚いという「スラブ民族の特徴」。

豪華すぎるほどの「イコン」と、ソ連時代に生まれた社会主義リアリズムと言われる簡素な「プロパガンダ・アート」。

「強気の大国」と「周辺国への怯え」。

相反するものを同時に抱え、コンプレックスの塊であるロシアは、文字どおり複雑系。私が知るロシア比較文化の専門家は、詳しい人であればあるほど「一つの言葉で形容しがたい」と口を揃えます。なんとも形容しがたいカンディンスキーの作品は、その意味でロシアそのものだと言えるのです。

残念ながら今のロシアは、アーティストにとって生きにくい場所です。ユリア・ツヴェトコワは、女性の社会的地位の向上を目指して、女性の身体をソーシャルメディアに投稿したことで起訴されました（結果は無罪）。ツヴェトコワのアートは、従来の美の基準から自由になって、自分の外見や体型を受け入れようという「ボディ・ポジティブ」運動の一環でもあります。ツヴェトコワはＬＧＢＴＱのサイト運営にもかかわっており、そのことが同性愛宣伝禁止法に抵触したとして、高額の罰金刑も言い渡されています。

西ヨーロッパと違い、ロシアはＬＧＢＴＱに対して大変に厳しい社会です。西ヨーロッパのように市民革命による民主主義の実現を経験していないことから、マイノリティへの配慮についても後ろ向きなのかもしれません。

チャイコフスキーから読み解く、ロシアとウクライナの関係

プーチン大統領は「ロシア人とウクライナ人は兄弟である」という趣旨を含む論文を2021年に発表しており、「ウクライナは心の故郷」と言うロシア人は多くいます。

かつてのキエフ公国のウラジーミル大帝が988年にギリシャ正教を国教として受け入れたことで、正教会が現在のロシアやウクライナなど周辺地域に広がりました。

つまり、ウクライナはロシア正教の源流なのです。ちなみにウラジーミル大帝は、今も聖人としてキーウの象徴・ヴォロディームィル大聖堂に祀られています。同じウラジーミルの名をもつどこかの国の大統領が聖人になるかどうかは、歴史が教えてくれるでしょう。

さて、歴史的経緯からも地理的条件からもロシアとウクライナが文化的・社会的に近しいのは事実。ウクライナ語とロシア語も言語的に近く、2014年に「ウクライナ語のみを公用語とする」と決定したウクライナのゼレンスキー大統領はロシア語優勢の地域で育ち、母語はロシア語です。ロシア人とウクライナ人の婚姻も多くあります。

ロシアを代表する作曲家と一般に思われているチャイコフスキーはウクライナの血が入っているとの説もあり、姉もウクライナ在住でした。有名な交響曲第2番の愛称は〈小ロシア〉で、ウクライナ（小ロシア）に対して思いを寄せた楽曲です。

ウクライナにあるチャイコフスキーゆかりの街がロシア軍によって爆撃されたことを、偉大なアーティストはどう受け止めているのでしょうか。

仮に血のつながった兄弟であろうと、個人である以上は別人格です。

「もともと同じ家庭で育ったんだから、君のものは僕のものだ！」というロシアの一方的な主張が通らないことは、国際政治の見地からは当然です。

横暴な隣国をもつウクライナには、その複雑な思いを表現する現代アーティストがいることを、第15章で紹介します。


2022年12月、ウクライナ最高峰と言われるウクライナ国立歌劇場バレエ団が来日し、ロシア侵攻によって休演を余儀なくされていたダンサーが見事な踊りを披露しました。

しかし、何かが欠けていた――それはクリスマスの定番と言える人気演目〈くるみ割り人形〉です。ウクライナ議会は「ロシア人が作詞・作曲した音楽」を公共の場で演じることを禁じ、「チャイコフスキーはロシア人」とみなされたためです。

「アートは相互の交流によって発展する」という大原則に反した、寂寥《せきりょう》たる状況です。

現在のところ、ロシアは文化でもスポーツでも、国際舞台から締め出されつつあります。これは正しいことなのか過ちなのか？　ロシア人アスリートやバレリーナ、そしてロシアが生んだアートを鑑賞することは、ロシアの一方的な侵攻を擁護《ようご》することになるのか？

これも何が正解か、意見が分かれるところですが、ビジネスパーソンであれば「自分はこういう理由でこう思う」という見解はもっておいたほうがいいでしょう。チャイコフスキーの音楽を聴きながら、ぜひ考えてみてください。

大国に挟まれた悲哀のポーランド

東ヨーロッパの民族を理解するうえで欠かせないのが、2回も国家が消えたポーランド。皮肉なことに、この国を襲った悲劇が美しいアートを生み出しました。

国家消滅について簡単に紹介すれば、1回目は18世紀の終わり。かつてのポーランドは強国でドイツ系やユダヤ系の移民を多く受け入れ、ハンガリー、ウクライナまで領土を拡大した「ポーランド＝リトアニア共和国」でした。

ところがウクライナ地域に住むコサック人、リトアニア地域に住むイスラム系のタタール人による独立の気運があり、国家は弱体化。さらに大国ロシアとの戦争に敗れ、ロシア、オーストリア、プロイセンに三分割されてしまいます。独立を求める民族蜂起も失敗に終わり、事実上、国が消滅しました。

ポーランド出身のショパンの〈革命のエチュード〉は、ロシアのワルシャワ侵攻の時期につくられ、ポーランドの人々の苦しみが音楽によって表現されています。

〝強欲なご近所さんたち〟による分割会議の様子は、歴史的モチーフを得意とする19世紀のポーランド人アーティスト、ヤン・マテイコが描いています。

〈レイタン、ポーランドの没落〉（口絵12ページ参照）に登場するのは侵略してきた3国の代理人たちであり、右下にいるのがポーランド＝リトアニア共和国の代理人タデウシュ・レイタンです。なんとか分割を阻もうと、転がって胸をはだけている姿はまさに捨て身で、代理人として国を守るのがもう難しいことを物語っているかのようです。

ドアの外には侵攻軍。さまざまな解釈があるようですが、私にはロシア兵にも思えます。会議が軍の監視下にあり、追い詰められていることは確かで、後方に描かれている女性の表情からも、それがみてとれます。

スラブ系民族でありながらカトリックという独自性をもち、大国の誇りもあったポーランド人が当時抱えていた屈辱と恐怖心は計り知れないものです。

民族の共通体験として、彼らがこのアートから読み取り、感じ、考えることは多くあるのではないかと思っています。

なぜならロシアはいまだ恐怖の対象であり、すぐ隣のウクライナの惨状も、ポーランド人にとっては決して他人事ではないからです。

ウクライナからの避難民をポーランドが多く受け入れているのは、カトリックの奉仕の精神と〝強欲な隣国〟に対する何百年にもわたる不信感があるためだと思います。

第一次世界大戦を経て、ポーランドは独立・再建されたものの、第二次世界大戦が起こると、ソ連とナチス・ドイツに侵略されます。これも事実上の国家の消滅（2回目）で、第二次世界大戦後、長くロシアの衛星国となったことは誰もが知るとおりです。

ナチス・ドイツへのわだかまりも決して消えていないと思いますが、国際政治の観点で見れば、ドイツは今やEUの仲間として手を組んでいくべき存在。少なくともドイツの軍事的脅威はありません。しかしソ連の衛星国となった負の歴史は記憶に新しく、現在進行形ですぐ隣で戦争をしているロシアは、依然として脅威でしょう。

ちなみにフィンランドの作曲家、シベリウスによって作曲された交響詩〈フィンランディア〉は、ロシア帝国の抑圧的な支配の苦しみから生まれており、フィンランド民族のアイデンティティと誇りが込められた国民的な楽曲です。

〈革命のエチュード〉〈レイタン〉、〈ポーランドの没落〉、そして〈フィンランディア〉。これらは負の歴史を物語ると同時に、犠牲者として一方的に虐げられるのではなく、悲劇の只中にあっても、何かを生み出すアーティストの反骨精神の表れです。

ロシアに蹂躙《じゅうりん》されてきた歴史をもつ国は多く、エストニアの首都タリンの博物館には、「世界で最も悲惨な歴史を歩む国家の歴史ここにあり」といった趣旨の説明がありました。スウェーデン、ロシア、ソ連に支配されてきた苦い思いが滲み出ています。

「君たちはもともと我が国の一部じゃないか」というロシアと、「ソ連時代の屈辱的状況を基準に考えてもらっては困る」という旧衛星国の構図は、エストニアに限ったことではありません。

ありきたりな言葉となりますが、民族や国家が占領されても、人の心は自由です。アートとは個人の自由な感情と思考の象徴であり、だからこそ現代のビジネスパーソンに必要だと改めて感じます。

第3部 現代アートの底力

現代社会において、アートは世界中で影響力をもっています。人種差別、貧困、ジェンダーによる差別――。社会問題や個人の葛藤を描きながら、経済効果も絶大な現代アートこそ、ビジネスパーソンが知っておくべき「リアル・アート」。第3部では、思考のツールとして役立つヒントをまとめます。

第8章 国を越え、力を蓄えるアート——ユダヤとその歴史

世界のアートをミックスさせた、オスマン帝国

仏教寺院もキリスト教の教会も一般に公開されていることが多く、アートの鑑賞の場として足を運ぶ人もいるでしょう。ヒンドゥー教の寺院もユダヤ教のシナゴークも、あえて「アートに触れる場」として足を運ぶと新たな発見があります。

そんな中、イスラム教のモスクを信仰以外の目的で訪れるのはハードルが高い。「ムスリム以外は入場を禁じる」「女性用・男性用に礼拝場所が分かれている」などの規則があり、「観光客がぶらっと入る」というのは難しいところが多くあります。服装などの制限もあるため「モスクは入りにくいな」と思う人もいることでしょう。

イスラム教で観光できるモスクとして有名なのは、トルコのイスタンブールにあるアヤソフィア。以前は博物館だった人気スポットです。

アヤソフィアはもともとキリスト教会で、ビザンチン帝国時代にギリシャ正教の大聖堂としてつくられました。その後、コンスタンティノープルの陥落でオスマン帝国に制圧されてモスクになりました。建物はそのまま使われたために、キリスト教とイスラム教の文化が融合したハイブリッドな建築物として今に至ります。

アヤソフィアのキリスト教式聖堂の壁を飾るのは、美しいカリグラフィーのコーラン。私もイスタンブールに行くたびに足を運んでしまうのですが、それほど見事に調和していて魅力的です。まるで「聖なるものは相互に惹かれ合い、相乗効果を出す」と伝えるかのように。

ところでオスマン帝国の皇帝（スルタン）メフメト2世は、なぜアヤソフィアを破壊せず、建物を活かしたのでしょう？

イスラム教徒が絶対的に重んじるのはコーランですが、旧約聖書も啓典としています。すなわちイスラム教徒、キリスト教徒、ユダヤ教徒は同じ〝啓典の民〟であり、メフメト2世は「同じ啓典の民は尊重しなければならない」と判断したのかもしれません。

この例は東ヨーロッパにも複数見られます。ハンガリーの小さな教会を訪れた際、「どこかエキゾチックだ」と感じた経験がありますが、よく見ればイスラム教的な幾何学文様が壁に残っていました。オスマン帝国支配下の時代のモスクを、キリスト教の教会として使っている、アヤソフィアの逆パターンです。

歴史を振り返れば、宗教はしばしば対立の原因となり、今日もなお悲惨な戦いが起きています。しかし矛盾するようですが、お互いに尊重し合う傾向も健在だと思います。

また、宗教自体が混ざり合うことは難しいとしても、アートに関しては融合が大いにあります。むしろ「混ざり合うことがアートを生み出す基本」と言っていいでしょう。

近代以降はヨーロッパの影響が強いアートですが、世界にはオスマン帝国による〝イスラム風味〟〝アジア風味〟が広がっていて、食文化、風俗、アートに広くおよんでいます。

逆もまた然りで、西へ西へと駒を進めたトルコ系民族もいるために、今のトルコには〝ヨーロッパ風味〟が加わり、トルコの伝統的な衣装には、中央アジアの遊牧民の特徴も見られます。また、クラシック音楽で打楽器が多数使われるのは、トルコの影響があると言われます。

オスマン帝国のヨーロッパにおける影響がなかったら、今私たちが聞いているクラシック音楽も違ったものになったかもしれません。

その意味でトルコは、「アジアとヨーロッパ」「イスラム教とキリスト教」「遊牧民と狩猟民」をつなぐ存在。アジア、ヨーロッパ、イスラムと3つの風味が混ざっているのがトルコなのです。

もっとも、トルコ政府は、トルコ東部に多く居住するクルド人に対しては、たびたび弾圧を加えるなど、国際社会を揺るがす行動もとっています。特定の国や民族を見る際は、一つのことだけを見て判断しないことが重要です。

古代ローマ帝国がヨーロッパのアートをつくったのなら、オスマン帝国はアジア、ヨーロッパ、イスラムのアートを混ぜ合わせました。3つの風味が混じり合ったトルコのアートも豊穣で、30年以上続く現代アートの祭典「イスタンブール・ビエンナーレ」には新世代のアーティストが国内外から集まり、国際的ギャラリーからも注目を集めています。

シャガールに見る、ユダヤ人アーティストの宿命

国境というのは人間の都合で変わります。大国同士のパワーゲームで新たに引かれたり消えたりするのは歴史を見れば明らかで、国家よりも宗教や民族のほうがより強固な〝属性〟と言える場合があります。

その意味で興味深いのは、ユダヤ人アーティストのマルク・シャガールです。

「一番好きな画家は？」と聞かれると、私はシャガールだと答えるのですが、第一の理由は、なんと言っても作品そのものの愛らしさ。第二の理由は、深い宗教性・哲学性です。

1887年生まれのシャガールは、かつて「ロシア出身のアーティスト」と呼ばれたこともありますが、正確に言えば帝政ロシア領ヴィテブスクのユダヤ人コミュニティで育ちました。

現在、その地域は数少ない〝ロシアのお友だち国家〟ベラルーシになっており、ユダヤ人は

少数しか住んでいません。

シャガールはシュルレアリスムの幻想的なタッチで「愛」や「ユダヤの民族性と宗教」を繰り返し描いていますが、ビジネスパーソンが注目したいのは後者でしょう。〈ダビデ王の夢〉は、ユダヤ人にとって理想の時代を描いたもので、苦難の中、ダビデ王の姿を見ることで希望を感じる人々の姿が描かれています。選ばれた民であるユダヤ人は、最後には神に救われるという信仰です。

ちなみにシュルレアリスムとは、1920年代にフランスで起こった「理性を超えた思考」を探究する運動で、「超現実、無意識」が重視されます。

逆にユダヤ人の困窮を見事に描いたのが、チューリヒ美術館所蔵の〈**戦争**〉（口絵13ページ参照）。エルサレムを追われたユダヤ人はディアスポラ（民族離散）となり、ヨーロッパや地中海を中心に世界中に散らばりました。国をもたない民族は徐々に居住地域の民族に同化していくものですが、独自の文化を守り続けたユダヤ民族は、永遠に〝ユダヤ人というよそ者〟のまま。それゆえに苦い思いをしてきました。

日常的な差別ばかりか、陰謀論とセットで悪役にされるのも当たり前。たとえば14世紀にペストが蔓延した際には、「ユダヤ人が毒を撒いた」という流言飛語がウイルスのごとく伝染し、迫害された記録もあります。

災害、病苦、戦争など大きな苦難が訪れると「よそ者や弱そうな誰か」、もしくは「仮想の巨悪」のせいにして不安から逃れようとするのは、残念ながら人間の悪しき習性なのでしょう。アートにこそ、この悪しき習性を乗り越える力があるのではないか。これは我がこととして考えたいテーマです。

帝政ロシア時代に育ったシャガールも、「ユダヤ人差別が当たり前」という社会の洗礼を受けています。ヴィテブスクにあったユダヤ人コミュニティに育ったので、ユダヤの文化を体験していました。伝統を守る素朴な暮らしは居心地がよく、だからシャガールは永遠に大切な故郷のモチーフを繰り返し描いているのでしょう。

しかし村を出れば話は別で、シャガールはサンクトペテルブルクの美術学校に進学することも難しかったほど。当時の帝政ロシアでは、ユダヤ人の移動や就学が制限されていたためです。シャガールの才能は、その後移り住んだパリで開花しますが、第二次世界大戦でナチスの脅威が高まると、今度はアメリカに逃れることになります。つまり、ユダヤ民族のアイデンティティと苦しみは「聖書にある物語」ではなく、彼自身の人生でもあるのです。

だからこそ〈戦争〉は、幻想的な作品でありながら苦しみをストレートに訴えかけてきますし、白い牛はユダヤ教における救世主に見えます。

恋人たちを多く描くロマンティックな作風ゆえに、シャガールを見て愛についてイメージをふくらませるのもいいのですが、若くして亡くなった愛妻への思いだけでなく、実は宗教的な博愛も含まれています。

シャガールはフランスに定住して生涯を終えますが、どこに住もうとユダヤ人としてのアイデンティティを守り続けました。

シャガールの絵画には、東ヨーロッパからロシアのユダヤ人に特徴的なハシディズムの影響が見られると思います。ハシディズムは、瞑想的実践や個人的な宗教体験を重視するユダヤ教の神秘主義的な運動です。シャガールの魅力は、このような神秘主義的な要素に、ロシア的な複雑性がブレンドされたことにあると感じます。

虐げられる社会で、人類愛をもち続けられるのか？　少数派への差別や災害時の陰謀論はなぜ起こるのか？　シャガールの世界に浸りつつ、現在の社会情勢を交えて考えてみてもいいのではないでしょうか。

ユダヤ教の聖典「タルムード」は〝独創性〟の原点

「エルサレムは芸術の都ですよ」

こう言うと、多くの人が意外に思うかもしれません。

「ええっ、そんなにアートが盛んなの？　宗教の聖地であることは知っているけど」

確かに日本のメディアでエルサレムの美術館やコンサートといった芸術文化が紹介されることは少ないようですし、ガザ地区やヨルダン川西岸の領土問題もあって、紛争がイメージされがちです。

しかし実際は、エルサレムにあるイスラエル最大の文化施設であるイスラエル博物館は、「死海文書」などのユダヤ人の歴史に関する展示に加えて、印象派をはじめとする西洋アートが実に充実しています。

その中には、シャガール、ピサロといったユダヤ人アーティストの作品も当然多く、数日かけても見切れないほどです。規模といい、作品の充実度といい、ルーブル美術館やエルミタージュ美術館と比べても見劣りしないほどです。

さらにイスラエル・フィルハーモニー管弦楽団は世界的に評価が高く、ユダヤ人は音楽においても並々ならぬ実績を残しています。メンデルスゾーンから20世紀を代表する指揮者バーンスタインまで、多くのアーティストがいます。

ではなぜ、ユダヤ教徒の中に評価されるアーティストが多いのでしょうか？　私の仮説は次の3点です。

1 差別される屈辱がアートに昇華した

ユダヤ人はヨーロッパで圧倒的に少数派であり、政治家や官僚など、国のメインストリームで地位を得ることは難しかった。だからこそ、ビジネスや金融、科学やアートなど、自らの才覚で人生を切り拓こうとしたのでしょう。苦境はアートをつくる〝素材〟でもあります。

2 「常に新しいことを学びなさい」という「タルムード」の教え

宗教にはそれぞれ聖典がありますが、ユダヤ教徒が守るべき規範の一つとされる「タルムード」はユダヤ教徒の信仰のもとになっていて、他の宗教の聖典に比べて成功や繁栄につながる内容が多くあります。たとえば「常に新しいことを学びなさい」という教えが、2000年以上も前から示されているのですから驚きますし、他の宗教にあまりない特徴と言っていいでしょう。

新たな学びは独創性にもつながりやすく、アートの本質的要素を古代から説いていると言えます。

3 完全に仕事をしない安息日の存在

ユダヤ教徒は、金曜日の夕方から24時間は働くことを禁じられています。家族や友人とゆっくりと過ごす時間的・精神的余裕が芸術を生む土壌をつくったのではないかと考えられます。

ユダヤ人というとお金儲けやビジネスの達人というイメージが強いもの。かつてはシェイクスピアの『ヴェニスの商人』の影響で、守銭奴という悪評すらありました。それゆえ「ユダヤ人はアートに強い」と言われてもピンとこないし、ビジネスとアートの成功は別の能力のように感じるかもしれません。

しかし私は、「アートの素養は深く物事を考えて本質を捉えることであり、それはビジネスの成功にも必須の素養だ」と考えています。これこそユダヤ人アーティストを生む根源であるのです。

イスラエル・パレスチナ問題に対するバンクシーの表現

ユダヤ人を宗教やビジネスだけでなく、アートを通じて理解する。これは「多面的に物事を見て、考える」という姿勢を身につけることです。この論で言うなら、「イスラエルという国＝ユダヤ人」と考えるのは表面的、かつ偏った見方。イスラエルについて知りたいならパレスチナについても知識をもち、理解しなければなりません。

前述したとおり、偶像崇拝禁止のイスラム教では西洋的なアートが生まれにくい歴史があったのですが、今では中東を扱った数多くの作品があります。中でも象徴的だと私が感じるのは、バンクシーの〈愛は空中に〉。男性が手にしているのは火炎瓶ではなく花束で、パレスチナ人の苦境に寄り添いながら、武力による解決を諫《いさ》めているようにも見える作品です。バンクシーと現代アートについては、第11章で詳しく述べることにします。

また、バンクシーが手掛けた、イスラエルとパレスチナを分断する分離壁を意識した〈世界一眺めの悪いホテル〉は圧巻で、これがバンクシーを一躍世界のスターダムに押し上げました。ホテルの窓からは、ほぼ分離壁しか見えない。パレスチナ人がいかに圧迫された状態で生きてきたかを世界に問いかけています。

イスラエル・パレスチナ問題では、ガザ地区を支配する組織ハマスについて、あたかも過激派かテロリストのように報道されがちです。2023年10月のハマスの攻撃では、イスラエルに大きな被害が出ました。確かにイスラエル側を攻撃することはありますが、イスラエル軍もガザ地区に対して過去に何度も過激なことを行っています。

そもそもガザ地区に住むのは、長らく住んでいたパレスチナの各地域から、イスラエル政府によって追い出された人たちです。日本の福岡市サイズの土地に200万人あまりが押し込められて暮らしているため「天井のない監獄」とも言われ、外部と自由に行き来できないために困窮に陥るなど、深刻な人権問題が生じています。

イスフエル・パレスチナ問題は複雑であり、双方が納得できる解決策を見つけ出すことは容易ではありません。

パレスチナの中心にあるエルサレムは、言わずと知れたキリスト教、ユダヤ教、イスラム教の三大一神教の聖地。キリスト教にとってはイエスのお墓があるとされる「聖墳墓《せいふんぼ》教会」、ユダヤ教にとってはエルサレム神殿の現存部分である「嘆きの壁」、イスラム教徒にとってはムハンマドが天馬に乗って神の御前に昇ったとされる「岩のドーム」があります（口絵16ページ参照）。

30分もかからず一周できてしまう小さな旧市街に、人類にとって大きく影響する3つの聖地が揃っている――これは神の摂理なのか、神の手によるアートなのかと考えさせられます。

ナチスの「退廃芸術」と現代アートの巨匠リヒター

何度も述べているように、アートは本来、国にとらわれないものであり、その例としてタルムードに育まれたユダヤ民族のアーティストについて述べました。ここにもう一つ、つけ足さねばならない事実があります。それはヒトラーによって排斥された「退廃芸術」です。

ヒトラーは心酔するワーグナーの楽曲をプロパガンダ的に用いていましたが、若い頃に画家を志したこともあるほどの絵画好き。彼は政治家になってもなお、アートと建築を好みました。

ただし彼は自分の理想とするアート以外は認めないという〝たった一つの正解〟に固執する性格。シャガールのようなユダヤ人アーティストを徹底的に攻撃するのはもちろんのこと、印象派以降の近代アートは「あり得ない」と断固拒否でした。

１９３７年にミュンヘンで開かれた「退廃芸術展」は、ヒトラーのもとで国民啓蒙・宣伝大臣を務めたゲッベルスが担当した国家プロジェクト。全国の公立美術館から「劣悪で非ドイツ的である」と決めつけて没収した1万６０００点のうち約６００作品を展示するというものでした。

ヒトラーの好みは写実的なアートですから、セザンヌ、ゴッホ、ピカソ、マティスなどはあり得ない「退廃芸術」として排除の対象ですし、カンディンスキーに至っては憎悪すらしていました。

この展覧会では、ユダヤ人アーティストや世界的アーティストの作品が、「病める精神が見た自然」などという悪意を込めたタイトルつきで、額縁もなしに、ばらばらに壁にかけられました。ドイツの主要都市とオーストリアを巡回し、２００万人が鑑賞したと言われています。

当時のドイツには優れた現代アート集団や、先進的なモダニズムと機能性を追求し、デザイン・美術・建築を融合させたバウハウスのような学校もありました。今日の現代アートに多大な影響を与えた存在にもかかわらず、ナチスによって閉鎖に追い込まれています。

失意のもとに国を去った人もいれば、アウシュヴィッツに送られて命を絶たれたユダヤ人アーティストもいます。ヒトラーが摘発する退廃芸術は音楽にもおよんだというのですから、戦慄するしかありません。

「退廃芸術」のアートの一部は焼却され、一部は売却されて、ナチスの政治資金づくりにあてられました。ドイツばかりかポーランドなど周辺国の裕福なユダヤ人が所蔵していたアートを不当に安い値段で〝押し買い〟した例もあり、これら略奪アートを個人的な資産としてアルゼンチンなどに持ち出したナチス高官がいたことも、よく知られています。

第二次世界大戦終結後、連合軍による返還が行われ、それは今も継続しています。ナチスが略奪したアートの返還については現在でも欧米人の関心が高く、NYタイムズの記事でも取り上げられるほど。

しかしナチスによる弾圧は、アーティストたちの目をアメリカという新天地に向けさせ、そこで新たな花を咲かせることにもつながっていきます。また、社会の不条理や不平等をアートによって訴える現代アートも、アメリカで多く生まれることになるのです。

近代までは「絵画より音楽」だったドイツは、現代アートでは国際的に重要な役割を果たしています。

たとえば現代アートのパイオニアの一人、ヨーゼフ・ボイスは少年時代にヒトラー・ユーゲントに入り、ドイツ空軍として戦った経歴のもち主。負傷や収容を経て、終戦後にアーティストになった彼は、社会運動家として、また次世代のアーティストを育む自由国際大学の師として活動。その卒業生が現代アートの第一人者、リヒターです。

第二次世界大戦で米軍の攻撃で一部破壊されたケルン大聖堂は、2007年、リヒターの美しいステンドグラスで生まれ変わりました。

「禍福は糾《あざな》える縄の如し」はアートにも当てはまり、罪も美しさも人間から生まれるものです。

アートが善でもあり悪でもあるなら、それはアートが人間の思想の表れに他ならないことの証拠にも思えてきます。

第9章　宇宙の真理と未来志向 ——イスラム圏

イスラミック・アートを理解するヒント1「幾何学文様」

研修などで私は「イスラミック・アートを理解する3つヒント」をお伝えすることにしています。なぜならイスラムが、多くの日本人にとって遠すぎる存在だから。参加者からは「イスラム教について理解できた」「以前よりも親近感が湧いてきた」という声が寄せられ、やはりアートを通して理解は深まるのだと実感します。

イスラミック・アートについて、本書でもまずは3つのヒントをご紹介します。

第3章でシリアの街の至るところで、アサド大統領（父）の写真が溢れていたと述べました。独裁者の写真は滑稽でしかありませんが、これが幾何学文様となるとまったく逆で、「無限の連続」こそ神に通じるとするイスラミック・アートの真髄です。

偶像崇拝を禁じたイスラム教では偶像になり得る人物は原則描けず、また、かわいいネコだろうが強そうなトラだろうが、動物を絵や彫像にすることは原則NGです。なぜなら、預言者ムハンマドの言行録である「ハディース」では、「動物の絵を描くことは、神の創造に挑戦する罪深い行為」と捉えられているからです。

万物の創造は唯一神のみにできることなのに、人間ごときが真似をするなど「けしからん！」ということなのでしょう。

「ハディース」は「コーラン」の次に大切にされていますから、イスラム教徒がそこに書かれたルールを疎《おろそ》かにすることはありません。

人間もダメ、動物もダメ。それでもモスクのような聖なる場所は、美しく飾りたい──何より人間には、崇高なもの、美しいものを求めるという性質があります。そこで選ばれたモチーフこそ、イスラミック・アートを理解するヒントその1「幾何学文様《もんよう》」です。

イスラム教の寺院・モスクを訪れると、静謐《せいひつ》さと無限の広がりを感じさせる幾何学文様の装飾に心を奪われ、圧倒されます。「幾何学文様」とは、点と線、図形などのパターンが対称的、あるいは反復的に繰り返される、さまざまな文化に見られるもの。しかしイスラミック・アートの幾何学文様の装飾は極めて緻密、かつ複雑で美しい。無限に繰り返されるパターンは、天体の周期にも時間の流れにも感じられて神秘的です。

それもそのはず、イスラム教にとっての幾何学文様とは「神が創造した完璧な世界」を模した装飾で、単に「美しい」とか「見事に設計されている」といった次元を超えているのです。欠点の多い人間に比べて、唯一絶対の神は無限かつ完璧な存在であり、神がつくり出す秩序も慈悲もまた、無限である――そんなメッセージが読み取れます。

ご存知のとおり、幾何学は数学の一分野ですが、イスラミック・アートが巧みに幾何学文様を駆使しているのは〝バグダッドのおかげ〟です。

現在は混迷しているイラクの首都というイメージですが、中世ではイスラム世界の中心地というだけでなく、世界の学問の中心地の一つでした。古代ギリシアの文献がどんどんとアラビア語に翻訳され、「知恵の館」という図書館もあったほどです。

ヨーロッパのルネサンスは、アラビア語に翻訳された古代ギリシアの古典を、再度ヨーロッパの言語に翻訳し直すことが一つの要因となって始まりました。

アラビア語への翻訳、アラビア語からの翻訳がなければ、アリストテレスなどの著した古代ギリシアの古典について後世の人々は、一部はアラビア語を介さずラテン語に訳されていたもののの、十分には知らずに終わったかもしれず、現代人はもっとバグダッドに感謝するべきとも言えます。

イスラミック・アートを理解するヒント2「植物文様」

幾何学文様の装飾には植物文様があしらわれることもあります。それはコーランでもハディースでも、植物を描くことは禁じられていないため。

イスラミック・アートの植物文様は「アラベスク文様」と呼ばれ、パターン化された花・葉・茎などが繰り返されたり、小さなモチーフが渦のように円形に集まったりして描かれます。「描く」と言っても絵の具を使ったものだけでなく、モスクのタイル装飾や金属細工、ガラス細工、陶器、織物など表現法は多数。ちなみに日本の「唐草文様」も「アラベスク文様」も、古代ギリシアや古代エジプトに起源があると言われています。

植物文様にしばしば緑色が用いられていることが多いのは、砂漠が多い中東の地理的条件によるものでしょう。サウジアラビアに住んでいた頃、現地の友人とドライブに出かけたとき、遠くに緑が見えたことがあります。

「もしかして、あれがオアシスですか？」と尋ねるまでもなく、サウジアラビア人たちは「わーっ！ オアシスだぞ！」と歓声を上げました。サウジアラビアの国旗も緑色ですから、植物が茂っている風景に一つの理想を見るのかもしれません。

イスラミック・アートを理解するヒント3「カリグラフィー」

イスラミック・アートを理解する3つ目のヒントは、アラビア文字の書道「カリグラフィー」です。「コーラン」に書かれているアラビア語は神の啓示を伝える言葉なので、文字を美しく装飾することは許されるとイスラム教の人々は考えました。

そうして1000年以上にわたり、アラビア語を美しく表現することに尽力してきた結果、崇高なカリグラフィーが誕生したのです。

ある日本人のアラビア書道家曰く、「アラビア書道は、文字の美しさを極限にまで追求した芸術」です。

アラビア語に限らず、世界各地には優れたカリグラフィーが残されていますが、高度な芸術にまで発展したのは、イスラム世界と漢字文化圏の特徴と言っていいでしょう。

私はイスラム教徒と会食する際、「書道とカリグラフィー」を話題にすることがあります。芸術文化の会話は、対立することがなく、相手と近づくために最適ですし、多くの日本人は子どもの頃に書道を経験しています。このようなちょっとした知識が、〝アート交流〟へとつながるのです。

イスラミック・アートの「今」は未来志向

美しい調べとしてムスリムに敬愛されているのは、礼拝の時間を知らせる「アザーン」です。

21世紀の今でも、夜明け前から1日5回、イスラム寺院の尖塔から流れてくるアザーンは、「アッラー（神）は偉大です、アッラーは偉大です」という言葉から始まります。詠唱《えいしょう》のような独特の節回しは美しく、中東に暮らしていた当時の私を惹きつけてやまないものでした。

イスラミック・アートについての説明をすると「大昔から変わっていない宗教的なもの」と感じる人もいると思いますが、私は宇宙的・未来的なものを感じます。

たとえば2017年、アラブ首長国連邦（UAE）の首都アブダビに誕生したルーブル・アブダビは、モスクを彷彿とさせるアルミとスチールのドーム屋根をもつ、海辺の美しい建物です。フランスとUAEの共同プロジェクトで、収蔵アートはキリスト教のものもあり、〝ユニバーサル美術館〟というコンセプトを表しているようです。

同じくUAEのドバイは高層ビルで知られていますが、2022年に「未来博物館」をオープン（口絵16ページ参照）。AIを駆使したバーチャルリアリティから拡張現実まで、最先端の現代アートの世界に没入できるインスタレーションが話題を呼んでいます。

まるで宇宙船のような楕円の不思議な建物は、美しいアラビア文字のカリグラフィーで飾られており、中に入るとアラビア語の文字が光となって来場者に降り注ぎます。

幾何学文様は数学、天文学とつながると言われており、宇宙の真理を説くアラビア語の文字がまるで未来につながるかのようです。

第10章 略奪されても息づくアート ——アフリカ

近代アートと現代アートの「境界線」とは

第2部で述べた西洋アートの歴史は、中世から近代までです。一般に近代とは1789年に勃発したフランス革命や、18世紀末から19世紀初めにイギリスで起こった産業革命の時代から始まるとされています。

また、「近代は19世紀、現代は20世紀」というざっくりした分け方もあり、アートもこれに準じて19世紀から20世紀前半に生まれたものを近代アート（モダンアート）、主として1950年代以降に生まれたものを現代アート（コンテンポラリーアート）と呼ぶこともあります。

ただし、時代だけで分けられるものではありません。たとえばカンディンスキーは近代アーティストとも現代アーティストとも呼ばれることがあり、ピカソも然り。

さらに1917年に男性小便器にサインを入れ、〈泉〉というタイトルで発表して大論争を巻き起こしたデュシャンは「現代アートの父」と呼ばれますが、〝お父さん〟はたくさんいると考えていいでしょう。

近代アートと現代アートの境界線は、くっきりと引けるものではありません。

「芸術が、独創性と関連させて捉えられるようになったのは、近代に入ってからだ」

美術史家のエルンスト・H・ゴンブリッチが著書『美術の物語』で述べているとおり、近代アートと現代アートに共通する特徴は「独創性」という要素。

わかりやすい例は、やはり〝お父さん〟たるデュシャンです。彼は活動初期には印象派やキュビズムのアートを創作していましたが、「大量生産されている既製品に少し手を加えただけでも、そこにコンセプトがあればアートになる」として、「レディ・メイド（既製品）」と呼ばれる作品を発表しました。その代表作が〈泉〉なのです。

現代アートにより特徴は多数ありますが、私はビジネスパーソンがもつべき視点として特に次の２つに注目しています。

1 カンバスに描かれた絵画やコンサートホールでの音楽といった、従来の形式にとらわれないこと

たとえば庭全体をアートに見立てるものもあれば、映像や彫刻も含まれます。観客とアーテ

イストの対話をうながす「インスタレーション」は、オブジェや映像を設置して、アートそのものを空間で体験するというもの。

草間彌生さんの作品〈ミラールーム〉は、天井と床、壁が鏡張りの小部屋の中に、数えきれないほどのオブジェが吊るされ、光と共に移ろっていきます。絵画でも映像でも彫刻でも写真でも部屋でも、表現法は自由でいい。それが現代アートと言えます。

2 「社会問題の批評、未来への提言」があること

「印象派以降の抽象的なアートはよくわからない。これって芸術なの？」

このような意見は多くありますが、大切なのは作品だけではなく、作品の根底にある、アーティストのメッセージ。何を訴えているのかを考え、それに対して自分なりに答えを出すまでのプロセスが、現代アートとの向き合い方です。

「へえ、この絵はとてもきれいだ」「ものすごく上手で迫力がある」という技術だけにこだわるものではありません。

人種差別、民族の分断、経済格差と貧困、ジェンダーによる差別、環境破壊など、現代アートの問題喚起はビジネスパーソンの思考のツールとして最も重要で、ビジネスにも役立つものだと私は位置づけています。

画期的な作品は他民族文化との「新結合」

さて、近代アートと現代アートは、ある日突然、天啓《てんけい》のように生まれたわけではありません。

そこには、西洋以外の世界の多大な影響がありました。

19世紀から20世紀に「新しく独創的なものこそ素晴らしい」と考え、歴史を振り返っても誰も試みていない表現を模索した近代アーティストたちは、「前衛（アバンギャルド）」と呼ばれました。

確かに印象派は、西洋アートの常識からすればあり得ないほど画期的でしたし、ピカソやブラックのキュビズム、マティスやドランのフォービズムは、いまだかつてないものでした。

しかし「新しいもの」とは、果たしてゼロから生まれるのでしょうか？

前述の経済学者シュンペーターは、イノベーションについて「新結合」という理論を発表しました。

「かつて組み合わせたことのない要素と要素を組み合わせると、まったく新しいものが生まれる」

この定義は、アートにも当てはまると思います。つまりアートは複数の文化が混ざり合うことで、新しいステージに入っていくということです。

たとえば印象派は、浮世絵の要素を取り入れています。1867年のパリ万博に出品された葛飾北斎らの浮世絵は何もかもが「新しいもの」で、ジャポニズムブームを巻き起こしました。独特な色彩、白く平板なつるりとした顔、遠くにあるはずなのに胸に迫るほど大きく描かれた富士の山……明暗法にも遠近法にもとらわれていない作品は、当時のヨーロッパのアーティストに衝撃をもたらしました。

「最近開国した東洋のはずれの国には、こんなにも変わった絵があるとは！」

こうして西洋アートの素養と浮世絵は「新結合」を果たし、歴史に名を連ねる印象派のアーティストたちを成長させたと考えられます。

アフリカの影響を受けた近現代アート

もう一つ「新結合」の例をあげると、近代アートと現代アートをつなげる重要人物であるピカソは、アフリカのアートに多大な影響を受けています。

「アフリカのアートって何？　木彫りの人形や藁《わら》でつくった民芸品ならわかるけど」

こんなイメージがある人もいるかもしれませんが、もちろんそれらは民芸品ではなく立派なアートです。

アフリカはホモ・サピエンス発祥の地。最も長きにわたって人類が住んでいる地域です。それだけ精神的・思索的に深い知見が人々の間で蓄積されてきたと私は考えています。

18世紀までのヨーロッパの人々はアフリカのアートを知らない、または知っていても、その価値を理解できなかっただけで、そこには計り知れない魅力がありました。

すべての色は光の屈折ですから、その土地の光によって色彩感覚が違うのは当然と言えば当然です。ヨーロッパの淡い色彩もアジアの温かい色彩も、光によるものです。

強い光を浴びるアフリカの色は、くっきりとした原色。その独特の色使いに、ヨーロッパのアーティストは魅了されたに違いありません。

私はセネガル人の友人に連れられて、首都ダカールでセネガル人アーティストのアトリエを訪ねたことがありますが、彼の原色を巧みに使った作品は赤い土、強い光、濃い緑というアフリカそのものでした。インドのアートも原色や多色使いが特徴的で、今や世界に影響を与えていますが、アフリカのアートにおける色のコントラストも強烈です。

南アフリカ・ケープタウンにあるツァイツアフリカ現代アート美術館のエグゼクティブディレクターで、NYタイムズでも取り上げられたことがあるキュレーターのクーオ（Kouoh）氏執筆・編纂の画集“When We See Us”には、黒人をモチーフにし、原色が多用されたアート作品や、貧困など社会問題を取り上げた作品がたくさん含まれており、その多様性に圧倒されます。アフリカのアートを扱った展覧会は、日本では決して多くなく、知られていないのが残念でなりません。

このように見ていくと、近代以降の新しいアートは、アフリカ、中東、アジアなど、西洋アートの歴史には登場しない世界の民族の影響を受けて生まれていることがわかります。ホモ・サピエンス発祥の地とされるアフリカが、近代アートや現代アートという「今」をつくり出したと考えるのは興味深いことですし、ここから「西洋だけのものだった世界は、過去のもの」という現代社会の姿が浮かび上がり、多様性について考えることもできます。

グローバル社会を生きるビジネスパーソンは、西洋アートの歴史をざっくりと知ったうえで「多様な民族で成り立つ、今の世界」という視点で、近代以降のアートと向き合ってみるのも面白いと思います。

人もアートも奪われたアフリカの〝反撃〟

アフリカ大陸の南北は8000キロ、東西は7400キロ。東京とロンドンの距離が約9500キロですから、アフリカの南北の距離は日本から東ヨーロッパくらいの距離になります。

アフリカに足を運ぶたびに私が感じるのは、その壮大さ。アフリカ大陸は実に広いのです。

アフリカの大きさが日本人にあまりピンとこないのは、赤道近くが小さく描かれる世界地図が多いこともその一因でしょう。アフリカは国家というより多くの民族がいた多民族社会だったこともあり、広大なアフリカ大陸の文化は当然ながら多様です。また、エジプト、モロッコなどの北部はアラブ・イスラム文化で、民族的にはアラブ人が主体です。いわゆる「アフリカ」と一般に考えられているのは、サハラ砂漠以南に広がるサブサハラと言われる地域です。

アフリカのアートを知るうえで忘れてはならないのが、長く続いた奴隷制度。主として西アフリカから、若い労働力が極めて残酷な形で奪われました。

「おたくの国の人を、うちの国の労働力として輸入したいんだけど」という欧米の白人と、「はいはい、いくらで何人出荷しましょうか?」という現地の黒人支配者層の間で、1500万人とも言われる人たちが品物のように取引されました。

人材の略奪に他ならない奴隷制度は、今日のブラック・ライブズ・マターにつながる問題ですし、アフリカ人の心に大きなトラウマを残しました。

さらにアフリカは前述のとおり、植民地時代や戦争の際には、アートそのものが大量に略奪され、ヨーロッパに持ち去られました。

その象徴と言われるのが「ベニン・ブロンズ」。その名のとおりブロンズ像が主ですが、象牙の彫刻や仮面なども含まれ、今のナイジェリアにかつて存在したベニン王国の美術品の総称です。ベニン・ブロンズの中でも特に貴重とされるものは、新たな王が即位するごとに権威の象徴と系譜を兼ねて、代々つくられていたブロンズ像。精緻なのに大胆なアートは、思わず見入ってしまうほどです。

ところが、それを鑑賞できる場所は、ナイジェリアではなく欧米でした。19世紀末にイギリスが侵略して王国は滅亡、植民地化される際にめぼしいアートは根こそぎ奪われた——それらは売買され、ヨーロッパ各国やアメリカのコレクターや美術館の所蔵品となったのです。

ベニン・ブロンズはイギリスを中心にドイツ、スイス、フランスなどに存在し、ナイジェリア政府は1930年代に返還を要求。戦後、略奪アートは欧米でもたびたび問題視されてきましたが、議論は進みませんでした。転機が訪れたのは、最近の話です。

「略奪アート返還運動」の背後にある思惑とは

2017年に「アフリカのアートがヨーロッパの博物館にあるべきではない」と明言したのは、フランスのマクロン大統領。かつてフランスの植民地だったダホメ王国（現在のベナン共和国）から略奪したアートを返還するべく動き始めました。

マリ、コンゴ、エチオピアなどの略奪アートも、ヨーロッパ各国から返還されつつあります。アメリカのメトロポリタン美術館、ボストン美術館が懸命に返還に取り組んでいるのは、ブラック・ライブズ・マターが追い風となっているのでしょう。

略奪アート返還運動については、ヨーロッパ側ではフランスが積極的。これを「さすがフランス、アートの国だ」と言うのは長閑《のどか》すぎる発想で、したたかな外交戦略でもあります。略奪アートという過去の不正義について反省の意を示し、文化や人権意識が高いことをアピール。旧植民地との関係を改善して、影響力を維持、拡大していきたい——そんな狙いもあると私は見ています。

ゆえにフランスが意識しているのは「豊富な資源と人材を有するアフリカ」だけではなく、「アフリカ大陸で、とみに存在感を増している中国やロシアというライバル」です。

経済援助を通じてアフリカと絆をつくりつつある2つの国に対抗したい。これはヨーロッパ各国やアメリカも意識しているはずです。

ビジネスパーソンは「略奪アートの返還はすなわち、国際政治の重要なツールである」と押さえておきましょう。残念ながら日本での報道は多くないのですが、世界ではよく知られた「知らないと恥ずかしいトピックス」です。NYタイムズでも頻繁に記事になっています。

アフリカ以外にもカンボジア、ギリシャなどに対して略奪アートの返還が始まっていますが、そう簡単にいかない理由が主に3つあります。

第一に、法律関係の複雑さ。略奪後、アート市場に出れば、所有権が移転していることも多く、個人が所有している場合には、返還を強制することは難しくなります。

第二に、せっかく返還されても、アフリカやアジアの博物館では適切な管理ができないケースが多いこと。貴重な美術品を損ねないための温度や湿度の調整には専門知識をもった人材と設備が必要ですし、紛争が頻発している国では、アートの展示すら難しい。

そのため、書類上では元の所有国に返還し、実際には欧米の美術館が「所有者であるアフリカに使用料を支払って借用・展示する」という形をとることもあります。

第三に、輸送費用が膨大になることもあり、その負担も課題です。破損しないように慎重に取り扱わねばならず、かなりの保険もかけます。「段ボール箱に入れて輸送しよう！」というわけにはいかないのです。

それでも略奪アート返還の動きは、アフリカやアジアのアートの価値が改めて認められる重要な契機になると私は考えています。お互いのアートの価値を認め合うことが政治の緊張を和らげ、経済交流につながるきっかけになるはずだと。

人種隔離政策をナミビアの博物館のアートで体感

アフリカ南部、南アフリカ北西に位置するナミビアの博物館を訪問したときのこと。私は入るなり、息を呑みました。人種隔離政策《アパルトヘイト》時代の黒人が抑圧されるシーンが描かれた巨大なアートがあったからです。

官憲《かんけん》と思しき白人が黒人に暴力を振るうさまは、アメリカで白人警官に制圧されて死亡したジョージ・フロイドさんの姿とも重なります。

「人種隔離政策なら、南アフリカでは？」

そう思う人もいるかもしれません。確かに人種隔離政策は1990年代まで南アフリカに存在しました。そしてナミビアもまた、独立を果たすまでは「南アフリカの委任統治領南西アフリカ」であり、同様の人種隔離政策が行われていたのです。

「実はナミビアで人種隔離政策はあった」と文章で読むよりも、はるかに大きなインパクトがあり、アートには過去のネガティブな歴史を直接訴える力があると実感しました。

人種差別の非人道性を表現したのは、ウィリアム・ケントリッジ。南アフリカでは知らない人がいない国民的アーティストは、木炭やパステルで描いた何枚もの作品を素朴なアニメーションに仕立て、「動くドローイング」として発表しています。

ちなみに「デッサン」は石膏デッサンで知られるように、対象物を明暗法や遠近法を用いて写実的に表現するもの。時間をかけて緻密に描かれます。「ドローイング」はより自由で、対象物から感じた自分の心模様も描き出し、即興的なものが多くあります。

ケントリッジの心情が込められたドローイングが、さらにアニメーションとして動き出す──そんな代表作の一つが〈流浪《るろう》のフェリックス〉。描かれているのは、裸の人物が海を渡っていく姿です。

ヨハネスブルク出身のケントリッジは1955年生まれですから、40歳近くになるまで人種隔離政策の真っ只中で生きてきた人です。さらに彼の出自は、リトアニアから移民してきたユダヤ人。人種差別に対してより鋭敏な感覚をもっていたことは、想像に難くありません。

「人種隔離政策は南アフリカだけのことじゃない。人種差別は世界中にある」

作品に込められているのは、人種隔離政策が廃止されたことは問題解決の一端にすぎないというメッセージ。アニメーションという「動き」を伴うアートであることが、「現在進行形の問題だ」と告げているかのようです。

「大量廃棄地」の電子ゴミをアートに変換

「植民地化で文化を破壊された」

欧米でビジネスをしているエリートでもスラムの貧困層でも、アフリカ人であれば胸のどこかに、こんな思いを秘めています。さらに南アフリカの人種隔離政策は「黒人アートの大半を禁止する」という信じ難いものでした。

列強の植民地支配や、産業革命以降のアメリカを含めた経済発展の裏に、同じ人間の犠牲があった事実。私たちはこれを忘れずに意識し、「ではどうするか?」という自分なりの見解をもたなければなりません。それは「歴史への反省」ではなく、「今、ここにある大問題」です。

アフリカの現代アートには、人種差別だけでなく貧困、武力紛争、環境破壊といった現代社会の暗黒面を正面から捉える作品も多くあります。

アフリカ人のアートに対する思いは熱く強い。そしてグローバル化した世界で、アフリカのさまざまな問題を表現するアーティストはアフリカ人に限りません。

西アフリカのガーナは〝電子ゴミの輸入国〟として問題を抱えています。21世紀になった頃から廃棄電子機器の受け入れを始め、今では投棄場所となっているアグボグブロシー地区に集まってくる電子ゴミは毎年25万トンにもなり、たまった量は東京ドーム32個分になります。ヨーロッパから不法に輸出されたものを含め、電子ゴミの量は加速度的に増加しています。埋められても燃やされても環境汚染と健康被害につながり、周辺のスラムに暮らす8万人の国民ばかりか、地球全体を害するものです。

電子ゴミ以外にファスト・ファッションもゴミとなり、先進国からアフリカに送られてきている——つまり私たちが頻繁に買い替えるガジェットや、「安いから」と大量に買って「ときめかないから断捨離してすっきり」と惜しげもなく捨てている服が、アフリカの大地とそこに暮らす人々を汚《けが》しているのです。

その意味で、電子ゴミの問題を抱えるのはガーナではなく我々であり、だからこそアグボグブロシーは〝世界最大の電子機器の墓場〟と呼ばれているのです。

ガーナの海岸に足を運んだとき、私は「なんてゴミが多いんだろう」と驚いた記憶がありま す。ゴミ処理というインフラが整っていないガーナ社会の問題、ポイ捨てが当然という現地の人々の行動様式も改めるべきではあります。

しかし、自分たちの国の〝嫌なもの〟を弱い国に押しつけているさまには、「まるで経済格差を利用した21世紀の植民地だ」という衝撃もありました。

この不条理をアートで訴えるのが、日本人アーティスト長坂真護《まご》氏。〝路上の絵描き〟として活動していた長坂氏は、ガーナのスラムで電子ゴミを燃やして生計を立てる人たちの存在を知り、アートの力で状況を改善することを決意。電子ゴミを用いたアートを発表して世界に訴え、電子ゴミ焼却で生計を立てる現地の人にガスマスクを届けました。今では環境改善と雇用の創出、さらには学校づくりを目指して活動しています。

日本人アーティストと書きましたが、現地の人と信頼関係を築き、世界に知られる存在感は大きく、コスモポリタン的です。現代アートの真骨頂と言えるでしょう。

同じく大量消費社会に警鐘を鳴らしているのが、ガーナ生まれで現在はナイジェリアに拠点を置いているエル・アナツイ。

アナツイの国際デビューは1990年のヴェネチア・ビエンナーレで、アフリカ人アーティストとしては初参加でした。それまでアフリカ人の参加がなかったこと自体、アートの世界があまりにも欧米中心だったという重大な証拠です。

現在では、NYタイムズの1面で大きく取り上げられるなど、世界で高く評価されています。アナツイの初期の作品は、ガーナの染色布やナイジェリアの装飾文様などに影響を受けた彫刻で、アフリカの伝統文化を重視したものでした。やがてワインやアルコール飲料の廃材キャップを用いた巨大アートを手掛けるようになり、一躍脚光を浴びることになります。代表作〈デュササⅡ〉は、ニューヨークのメトロポリタン美術館所蔵。廃材をアートにしている点は長坂氏と共通しますが、アナツイの場合、大量廃棄への問題喚起というよりも、廃材の活用に重点が置かれており、「廃材でもこんなに美しくなれる」「どんなものでも活かし方次第」といったメッセージが感じられます。

アフリカはポテンシャルがありながら、植民地として人材も資源も収奪されてきました。「本来はもっと成長できたはずだ」というアフリカ人の強い思い、アフリカの可能性をアナツイは作品に託したのだと思います。

私は彼の作品から、どんなに歴史の犠牲になろうとも、「人間は行動を起こすことで、何かを変えることができる」という強い勇気をもらいました。しかしビジネスパーソンとしては、その勇気をどのような行動に変えるかを考えるべきだと思っています。

ジャズとギグ・エコノミーで広がるアフリカの未来

「トシ、日本のバーはつまらないですよ」

日本在住のアフリカ人の友人・知人が口にする言葉です。日本食を好み、「居酒屋大好き！」と断言する人も少なくないのに、なぜつまらないのか……。

受け流していたのですが、あるとき改めて聞いてみると、「静かすぎて踊れないから」と言われました。どうやら、それが共通の見解のようです。

確かに日本のバーや居酒屋は、音楽がかかっていても踊る人がいるわけではありません。踊るとすれば、好きなミュージシャンのライブやクラブに行くか、はたまた盆踊りか。私も仕事で必要になり社交ダンスを習ったことはありますが、この先、踊ることはないでしょう。日常的に「盛り上がったら踊る」というシーンは日本にはあまりありません。

アフリカはダンスが盛んで、毎年開催されるウガンダの「Nyege Nyege Festival」は、音楽とダンスの一大フェスティバルです。コロナ禍で制限をかけた2022年でさえ1万5000人が詰めかけました。

ウガンダは独裁的なムセベニ政権が長く続き、政治的な自由はもちろんのこと、アートを含めた表現の自由も制限されています。ダンスフェスは「政治ではないアートなら、まあいい。

たまには特別に自由を与えてやるよ」との、政権側の〝国民のガス抜きをする〟という上から目線の思惑もあるようです。

音楽もダンスも、絵画も文学も禁止。あるいは、政府の意向どおりのものしか認めない……。仮にそんなことになれば、我々の精神は麻痺するのではないでしょうか。政治的自由は前提として重要ですが、アートの自由を認めないと社会は崩壊しかねないと感じます。

政治的に自由が抑圧されていることが多いアフリカでは、そのエネルギーがアートに昇華しているのです。お友だちや世襲の馴れ合いで行われる政治、既得権益にご満悦の高官、上がらない賃金と不十分なインフラ。国民の鬱屈は溜まる一方で、誤解を恐れずに言うと、その不満解消の方法の一つがダンスである気もするのです。

鬱屈した国民のダンスは、踊るほどに熱狂的になり、生活に不可欠になっていく——いつか日本にも、浄土宗の〝踊り念仏〟ならぬ〝踊り居酒屋〟が誕生するかもしれない、などという戯言《ざれごと》さえ浮かんできます。

「踊りで何が解決するんですか？　アート作品だって、世界を変えるには時間がかかる」

このような反論があることは知っていますし、一部うなずけることはあります。しかし、「今、このとき」を楽しみ、小さな変化を起こしていくのも人間の大切な営みです。

ある日を境に「申し訳ありません。私の政治は完全に間違っていました」と独裁的な政治家が悔い改め、世界が完全に変わるのならば素晴らしいことですが、世の中はそれほど単純にはできていません。

急激な変化と言われるフランス革命、ロシア革命でも、何年もかかって徐々に政治体制ができあがっていきました。しかもオセロゲームのように、ある日突然、パタパタと黒が白に変わったわけではないのです。

日々の苦痛をやり過ごすために、日々を楽しむために、そして明日を迎えるために、アートがあっていい。私はそう思います。つらい今日を乗り越えて明日を迎えなければ、変化は永遠に起こせないのですから。

アフリカのレストランで食事をしていると、ジャズの源流ともいえるアフリカの音楽がしばしば演奏されます。アフリカ音楽と白人音楽が〝新結合〟して生まれたジャズの魅力の一つは、即興性。その場の雰囲気に合わせて音楽を選び、演奏方法も変えます。

即興で単発の演奏することをギグ（gig）と言いますが、この言葉は、ギグエコノミー（gig economy）としてすっかりお馴染みになりました。雇用ではなく独立請負人が担うビジネスモデルは、ウーバー（Uber）などが典型です。

ギグエコノミーの個人事業者は「収入が不安定で、健康保険などのセイフティネットがない」といった課題が多くあります。しかし傾向としては、そうした課題を改善しつつ今後も増えていくビジネスモデルでしょう。

私はこのギグエコノミーが、アフリカの変革にもつながる気がしています。臨機応変に、即興的に、その場その場で働き方を変えていく。そこにはエネルギーが不可欠です。まるでジャズセッションのように、あるいはその場で即興的に作品をつくるパフォーマンス・アートのように、熱狂的なエネルギーが何かを変えていく。

アフリカの現代アートは、民族の文化と負の歴史による人々のトラウマが渾然一体となり、より力強く、独自性の強いものになりました。

ホモ・サピエンスが生まれた赤い大地には、20世紀になってから独立を果たした若い国も多く、平均年齢が20歳前後と、国民も若いです。

いにしえの略奪アートに魅せられながら、現代アートで現代社会を感じる。ポテンシャルを秘めたアフリカ発のアートは、ビジネスパーソンにぜひとも注目してほしいと思っています。

第11章 現代アートを育むダイバーシティ
――アメリカとカナダ

〝信仰心が強くて合理的〟なアメリカ・アートの特徴

「新しいビジネスを考えるビジネスパーソンにとって、現代アートを知ることほど重要なことはない。なぜなら現代アートとは今を知り、未来を読むために存在するからだ」

私はこう断言していいと考えており、アーティストそのものにも注目しています。広く社会を捉え、未来のあるべき姿を深く洞察している、世界で最も独創性と洞察力に富んだ人たち。彼ら・彼女らから学ばない手はありません。人種差別問題、ジェンダーによる差別、AIなどの先端テクノロジーと共生する人類の未来などを示唆する作品が、今この瞬間も生まれています。

そんな現代アーティストを育んだ地、そして近代アートを開花させたのが新大陸アメリカです。アメリカのアートの誕生と主なアーティストについて見ていきましょう。

日本人にとってアメリカは「世界の最先端をいく、合理的なビジネスの国」というイメージがありますが、アート関連でその特徴は2つあると考えます。

第一に、キリスト教的な信仰が強いこと。もちろん人によるのですが、いわゆる先進工業諸国の中でアメリカほど宗教への関心が強い国は存在しません。

しかもキリスト教国のうち、強い宗教心を示すのが軒並みカトリックの国である中で、唯一アメリカだけがプロテスタント優勢の国。

アメリカにプロテスタントのピューリタン（清教徒）が到着したのは1620年のこと。17世紀前半のヨーロッパはカトリックVS.プロテスタントの宗教戦争が激化し、特にイギリスの王位継承争いが凄惨を極めました。

この状況に嫌気がさし、新天地を求めた清教徒が建国したのですから、アメリカがキリスト教的であることは当然の帰結でもあります。

アメリカ独立時の清教徒の精神が窺える絵画として、ドイツ系アメリカ人のエマヌエル・ロイツェが描いた**〈デラウェア川を渡るワシントン〉**（口絵13ページ参照）があります。川を渡るワシントンの表情や佇まいに、新しい清教徒の国をつくるという強固な意志が感じられ、それが現在のアメリカの強さにつながっている気もします。

ります。

アメリカの〝新しいもの好き〟が「印象派」を育てた

アメリカの第二の特徴は、新しさ。先住民を考えれば「アメリカの歴史はわずか二百数十年」と言い切るのは問題ですが、〝現在のアメリカという国家〟が新しいことは事実としてあります。

さらにアメリカの歴史は最先端を歩んできた歴史であり、その代表と言えるのが、世界で初めて国家として大統領を、国民の投票によって選出したこと。国王による世襲統治が常識だった18世紀ヨーロッパ人にとってはあり得ない暴挙で、彼らは「独立したあの国は、頭がおかしくなった人の集まりだ」と思っていたに違いありません。

古代ギリシア・ローマ以来、2500年ほど続くヨーロッパの伝統は素晴らしいものですが、伝統は時として新しいものを生むことを阻む足かせになります。特に保守勢力は、自分たちの既得権益を脅かす新しいものを嫌います。

その点、アメリカにはまだ何もありませんでした。建国当初は名門と言われる家系も会社も、権威あるアカデミーも存在しない。先住民を除くとゼロベースで出発したことが、アートにとってプラスにつながりました。

新しいものを受け入れる土壌――これこそアメリカのアートを知るうえで欠かせない視点で

す。

印象派などの近代アートやデュシャンの現代アートが生まれた革新の国フランスは、同時に伝統を重んじる国でもありました。新しいモチーフや技法が認められるのには、時間がかかりました。

当時のアーティスト登竜門は、王立芸術アカデミーの展覧会「サロン・ド・パリ」。ここで評価され、よい画商やパトロンと出会うことが王道でした。

しかしモネなど印象派の作品は、常に落選。名だたる批評家には「なんだこれは。未完成の印象でしかない」と酷評されます。そこで開き直った彼らは、そのネーミングをあえて冠して「印象派展」を開いた――見上げた根性には拍手喝采ですが、それでもなかなか作品は売れず、貧乏暮らしを余儀なくされる者も多くいました。

作品の良し悪しは見る人次第で、〝絶対の基準〟など存在しません。パリでけなされていた印象派は、海の向こうの新大陸では高く評価されました。

「えーっ、全然いいよ。すごく新しい!」

目利きの画商(ギャラリスト)が評価し、アメリカの富裕層が邸宅に飾るためにどんどん購入し、結果としてアーティストの生活は成り立つように。この名声は、ヨーロッパに逆輸入されました。

ちなみに今ではは巨匠となっているマティスやドランも、そのあまりに強烈な色彩と大胆な構図ゆえに当時のフランスの価値観から大きくはみ出し、著名な批評家に「まるで野獣（フォーブ）の檻にいるみたいだ！」と貶《けな》されたことで、フォービズムの名がつきました。

歴史にif《イフ》はありません。しかし、新しいものを貪欲に受け入れる自由の国・アメリカが存在しなかったら、印象派もフォービズムも埋もれてしまっていたかもしれないのです。

資本主義の申し子・アメリカで〈落穂拾い〉が評価された理由

アートも仕事の企画も、見る人によって評価は変わります。そして、その評価の影響力は、「誰」が評価するかによって変わります。

たとえば「部長の評価より社長の評価のほうが、影響力が大きい」というのは今も昔も変わらず、決定権のある人の声のほうが大きく響くもの。

また、ユニクロで新発売されたシャツについて、私が「価格の割に品質がよい」と言うよりも、ファッションに詳しいインフルエンサーが「高見えする！」と発信したほうが、影響力が大きいのは言うまでもありません。つまり、そのジャンルで権威がある人のほうが、より強く人の心を動かします。

そして私たちの資本主義社会にはもう一つ、評価の基準があります。「マネー」です。

印象派やフォービズムがアメリカで評価され、ヨーロッパに逆輸入されるまでになったのは、「アメリカが評価してるんだから素晴らしいに違いない」とヨーロッパが思ったからだけではない。アメリカの著名な画商がこぞって買い取り、価格が高騰していったことも大きな理由です。

「売れるものには価値がある」

新しい評価の物差しができたのは、アメリカが〝資本主義の申し子〟のような国だったからだと私は思います。

ビジネスパーソンなら誰でもご存知のことなので簡単に言うと、産業革命が起きたイギリスで資本主義論を唱えたのがアダム・スミス。「市場の自由な競争と自己利益追求」という原則が生まれました。

19世紀、産業化と資本主義はあたかも双子の宣教師のように世界中を駆け巡っていくわけですが、アメリカという若い国は〝布教〟にもってこいでした。

ネイティブアメリカンから見れば、「先祖代々守ってきた聖なる土地を、ある日突然、乱暴者に侵略された」という厄災ですが、アメリカ側から見れば「ゴー・ウエスト！」とばかりの新天地の開拓。広大な土地を手に入れ、鉄道を敷き、工場をバンバン建設し――そこに資本主義という伝道師が登場します。蓄えられたマネーは消費され、投資されます。

自由に競争して利益を蓄えた資本家は、アートをこぞって購入しました。それは投資のためというより、「富の象徴」「教養の象徴」だったのかもしれません。

西洋アートは長い間、教会や王室という権威と、財力をもつパトロンによって支えられていました。それが近代になると、富裕層という新しい貴族に変わったということです。

そんなアメリカを象徴するアートだと私が感じるのは、19世紀のフランスの画家ジャン＝フランソワ・ミレーの作品です。日本でも人気があり、美術に詳しくない人でも〈落穂拾い〉や〈晩鐘〉、**〈種をまく人〉**（口絵14ページ参照）といった作品は知っているでしょう。

ところが勤勉な農民というテーマは、「労働は苦難だ」と捉える傾向があるカトリックには意外と馴染まず、当時のフランスではあまり評価されませんでした。

一方のアメリカでは、ミレーは高い評価をもって受け入れられました。なぜならプロテスタントにとって労働や勤勉は苦痛ではなく美徳であり、プロテスタントの理想で建国されたアメリカにマッチしたためというのが私の見立てです。

余談ですが、〈種をまく人〉で描かれている農民は、岩波書店のロゴマークになっています。創業者の岩波茂雄は農家の出身で「労働は神聖である」という考えを強くもっていたそうで、ミレーの絵に共感を覚えたのでしょう。

アートの中心地になる条件は「安全保障」にあり

新しいものを受け入れるアメリカは、印象派を受け入れることでアートの礎を築きました。

そして第二次世界大戦が勃発し、ヨーロッパは戦場に。フランスはドイツに占領され、イギリスもドイツの空襲にさらされましたが、結果的にドイツは敗戦して多くの街並みが廃墟になりました。

1945年の終戦まで6年間続いた戦いで、ヨーロッパは人的にも経済的にも大きな痛手を被りました。その点、アメリカは日本軍からハワイの真珠湾攻撃を受けた以外は〝本土は無傷〟のようなものでした。

アメリカが終戦後に世界第1位の大国となった理由の一つは、国内の被害が少ないために復興が早く、産業発展をスピーディに遂げられたこと。そしてもう一つ、ヨーロッパと異なり、近隣国から攻められる恐れが小さかったことがあげられます。

国境を接するのはメキシコやカナダで、いずれもアメリカに侵攻するほどの軍事力はありません。つまり地政学的な安全保障上、優位だということ。

もちろん冷戦下でソビエト連邦と対立関係にあったわけですが、ヨーロッパや今のロシアのような「いつ隣とトラブルが起きるかわからない」という〝国家密集大陸〟の危機感とは異なります。

安全は産業を育て、多くの優秀な人材を引き寄せます。この〝ご近所トラブルを心配せず、やりたいことができる環境〟が、ビジネス、科学、そしてアートにおいてもアメリカが発展する原動力となりました。

安全保障は国の根幹であり、アートもその影響を受けているのです。

第一次世界大戦中、フランスとアメリカを行き来しながら制作を続けたのが現代アートの父デュシャン。〝お父さん〟に続くアーティストたちが「自由で安全なアメリカ」に移ってきます。

大勢のアーティストが集えば「あそこが総本山だ！」とばかりにさらにアーティストが集まり、刺激し合うことでエネルギーが生まれます。

こうしてアメリカの現代アートを代表する抽象表現主義が発展。デ・クーニングは密航により渡米したオランダ人、マーク・ロスコは一家で移住してきたラトビア系ユダヤ人、ジャクソン・ポロックはアメリカ人と、出自がさまざまなアメリカのアーティストが誕生しました。

抽象表現主義は今もなお現代アートで存在感を放ち、ポロックの「絵の具をたっぷり含ませた刷毛を振ってカンバスに滴らせる」というアクションペインティングなど、新しい画法も生まれています。

「カンバスに色が塗ってあるだけ……。これはいったい？」

超がつく著名世界的アーティストであるロスコの作品は、私たちが感じる現代アートのイメージそのもの。それでも「訳がわからない」と決めつけずに、ぜひ思索のツールとして向き合ってみましょう。なぜならロスコは、ニーチェやフロイト、神話や原始宗教に傾倒し、人間の感情と思考を模索し続けたアーティスト。タルムードを学んだユダヤ人でもあります。

私は、現代アートの美術館でロスコの絵があると、飛んで行くくらい心酔しています。

その絵を前にしていると、宇宙の真理に触れるように感じ、自分がまるで神秘体験をしている感覚になります。現代アートの抽象性のため、かえって本質的なものにつながることもあるのかもしれません。

ロスコは貧しい移民として育ち、政治に関心があった父の影響で労働者の権利にも意識的。それゆえにお坊ちゃんの多いイェール大学に進学し格差社会を感じ、奨学金を打ち切られたことで法律家からアーティストへと進路を変えました。

そんな彼が何を訴えようとしていたか。その作品からは具体的でないからこそ自由なイメージが喚起されて、ありとあらゆる問いが浮かんできます。

アメリカ生まれのアートとされる抽象表現主義は、ピカソやカンディンスキー、そしてシュルレアリスムと、ヨーロッパのアートから大きな影響を受けています。

その他、アメリカに拠点を置いた代表的なアーティストとしてはシャガール、スペインのサルバドール・ダリなど。シャガールが一時期アメリカを拠点にしていたことは前述しましたが、ダリもまたフランコ政権を嫌い、フランスを経ていったんはアメリカに移住しています。

もしも第二次世界大戦がなければ、彼らはニューヨークではなくパリに集結していたかもしれません。戦争被害が比較的少なかったと言われるベルギーのマグリットは、一時期パリにいたことはあったものの、パリとベルギーは「ちょっと東京から大阪へ」という距離であり、基本的な拠点は生涯ベルギーでした。

安全保障は、やはり多くのアーティストを呼び寄せ、新たなアートを生むのです。

「うまくいっている商売は一番のアートだと思う」

現代アートのうち、アンディ・ウォーホルが打ち出したポップアートは、まさにアメリカの象徴です。２０２２年、マリリン・モンローの肖像画が１億９５００万ドル（当時のレートで約２５０億円）という20世紀のアーティストとして最高額で落札されたことでも話題を呼びました。

映画スター、キャンベルスープ、コカ・コーラ。ウォーホルは大衆文化を象徴する作品で知られています。これまでのアートは〝一点もの〟のファインアート（大衆芸術や応用芸術とは区別される美自体に価値を見出す純粋芸術）ですが、ウォーホルの作品はシルクスクリーン（木枠に布を張り絵具を下の紙に漉《こ》す版画技法）。つまり同じモチーフを無限に繰り返したり、大量生産できるというこれまでになかった新しいアートで、その制作方法自体が大量生産・大量消費という資本主義の象徴でもあります。

私はウォーホルの作品を見ていると、こう問われているように感じます。

「ずっと未来永劫、こういう大量消費・大量生産していくんですか？　それが本当に、人類社会にとっていいことですか？」と。

また、ポップアートの特徴である連続性に着目して、「何ごともこのように連続していくのですか？」という問いを投げかけられている気がします。無限にも見えるようで、実は人間の限界や無常観を提示しているかのようです。

アートのモチーフとしてあり得ないコカ・コーラを描いたことについて、ウォーホルは「大統領でもホームレスでもエリザベス・テーラーでもコーラを飲むし、誰が飲んでも同じ味なところがいい」と述べており、大量生産は平等化につながると見ていたのかもしれません。

ウォーホルの平等意識は、シルクスクリーンの作品〈バーミンガムの人種暴動〉にも表れています。ウォーホル自身、東欧からの貧しい移民の家庭で育ち、差別や格差に敏感でした。

アメリカではブラック・ライブズ・マター運動以降、人々の間で黒人の尊厳について改めて問い直そうという動きが生まれています。その結果、多くの黒人アーティストが取り上げられるようにもなりました。

また、ウォーホルは20代の頃からゲイであることも公表しており、性的マイノリティに対する差別や偏見にも強い問題意識をもっていました。

大量消費社会への警鐘、差別や格差社会への批判……。ウォーホルには、単にポップなアートというだけでなく、21世紀の我々にも大きな問いを発している社会変革者の側面もあるのです。

イラストレーター出身のウォーホルは、アートのパトロンが富裕層から大衆とコマーシャリズムへ移っていく時代の波にも乗りました。

——ぼくは芸術《アート》を商売《ビジネス》にする人《マン》か商売の達人《ビジネス・アーティスト》というやつになりたかった。一番魅惑的なアートは、商売に長けていることだと思う。ヒッピーの時代には商売という考えを軽蔑した。〝金は悪だ〟とか〝働くのは悪だ〟とか言っていたけど、金をつくるのは技術だし、働くのも技術だし、うまくいっている商売は一番最高のアートだと思う。

著書『ぼくの哲学』（落石八月月訳、新潮社）で述べているとおり、ウォーホルは商業主義そのものに見えますが、これを額面どおりに受け取っては、思索は深まりませんし、ウォーホルという複雑な人物を理解できないと思います。

ミリタリー調の〈自由の女神〉（口絵14ページ参照）は、明るく自由なアメリカを描いているようで、この国が実は好戦的だと示唆している――このスタイルは彼の他のアートにもみてとれます。

それは〝商業主義のスター〟として大成功したことを謳歌しつつ、その虚しさを人一倍感じている屈折から来ているのかもしれません。

「アメリカという国は、どんな人でも、どんなものでもヒーローに仕立てようとする」

「誰もが15分なら有名になれる」

こうした言葉を残しているウォーホルは、お金になること、有名になることに価値が置かれる今の世の中を、いち早く感じ取っていたかのようです。SNS時代の先駆けのようにも思え、今の私たちを象徴するアーティストだと感じられます。

アメリカのアーティストは商業主義と結びつくようになり、たとえばシュルレアリスムのアーティストとして知られるマン・レイの写真は、広告や雑誌のために制作されたものが多数。

シャネルのポートレイト、『ヴォーグ』に使われたファッションフォトなどは、私たちにも見覚えがあるものが少なくありません。

ウォーホルの作品は多く商品化され、本書を執筆している2024年、マリリン・モンローは1500円のユニクロのTシャツでも蠱惑的《こわくてき》な眼差しを向けています。商業主義アートはレプリカが廉価に量産されて一般の人たちに広まり、現代アートは世界の巨大マネーが動く投資の対象になっていく――この分かれ道の始まりに、ウォーホルやマン・レイがいるのです。

この後、中国について解説する第14章で述べますが、ビジネスパーソンにはアートを「世界経済を動かすもの」として見ていくことも、これからは必要だと思います。

「移民を活かすこと」こそがアメリカの真骨頂

現代アートは、人々の心に変革マインドを醸成します。下手な政治家の演説よりも効果があるはずで、私は「世界の政党はもっとアートを活用して、支持者を増やしていったらいいのでは？」などと考えることもあります。

謎の現代アーティスト・バンクシーは社会問題について描くことで知られていますが、〈難民のジョブズ〉は、アメリカの成り立ちを描きつつ、こんな問いを投げかけているかのようです。

「父親がシリア移民であるジョブズを難民キャンプに送っていれば、のちのアップルの隆盛もスマートフォンもなかったんじゃないの？」

バンクシーの作品が大人気なのは、比較的単純な構図の中に、現在の政治・社会に対する鋭い風刺が含まれているからです。〈難民のジョブズ〉では、世界で吹き荒れる移民反対の排外主義的な動きを批判しているのでしょう。

「移民反対派たちは、よく見てほしい。移民に反対して壁なんかつくったら、ジョブズのような人材をも排斥してしまう」と。

移民の国アメリカは、おのずと多様性に溢れていきます。シリコンバレーのIT企業ではインドなどアジアからの優秀な移民が大勢働いていますし、経営者として大きな影響力をもつ移民や移民2世も目立ち、「多様性はイノベーションに欠かせない」と感じます。

逆に言うと、日本経済停滞の理由は、移民や難民の受け入れに消極的どころか「よその国の話だよね？」と関心すらないところにもあると感じます。

移民・難民について自分の意見をもつことは、世界のビジネスパーソンにとって、ごく当たり前のこと。さらに私は、個人の中に多様な視点をもつ「イントラパーソナル・ダイバーシティ」に注目しており、アートはそのための栄養素だと思います。

多様な人間は、自分の中で繰り返し〝新結合〟を起こすことができるはずです。たとえば、生後間もなくアメリカ人夫婦に養子に出されたとはいえ、ジョブズには半分アラブの血が流れています。アメリカ人の母の血とシリア人である父の血。

ジョブズは、日本の禅を実践する一方、版画にも関心が高く、寝室には日本の版画家・川瀬《かわせ》巴水《はすい》の版画が飾られていたと言われています。これらの出自や経験が彼のイントラパーソナル・ダイバーシティを育み、創造力の源泉となってアップルの成功につながったのではないか……。私はそう思います。

「Twitterを買収してXに変えたイーロン・マスクも、毀誉褒貶《きよほうへん》はあるものの、アメリカを代表する起業家です。

南アフリカに生まれ、人種隔離政策に反発して母親の出身地であるカナダに移住。その後、アメリカで起業し、3つの国籍を有している彼も、おそらくイントラパーソナル・ダイバーシティを宿しているでしょう。

ちなみにジョブズを描いたバンクシーは、イギリスのブリストル出身のアーティストと言われていますが、公の場に登場することはなく、顔写真は一切公開されていません。

覆面作家である理由は、「ビルの壁などに無断で描くことが器物破損にあたるためだ」というのが、よくある説明。ほかにも「巨大アート集団が、オークションで高値で売るためにバンクシーの名を借りて世界各地の路上にアートを描き、知名度を上げている」という説があり、それが「さもありなん」と思うくらい不思議なアーティストです。私としては「この風刺は、やっぱりウィリアム・ホガースに連なるイギリス風だ」と感じます。

日本人は血統へのこだわりが非常に強いのですが、私たちは皆、アフリカで生まれたホモ・サピエンスの子孫と言われていますし、長い歴史を通じて民族は混じり合ってできあがっています。

民族が宿す文化的特徴は素晴らしく、「これはイギリス風だな」などとアートを通して理解するのは大切で楽しいことですが、同時に異なる民族と民族、異なる文化と文化の多様性が革新を生むことを、改めて意識してはどうでしょう。

余談ながら、私は父方も母方も日本人ですが、ある研究所の遺伝子検査で自分の染色体を調べてもらったら「2万年前のインドシナ半島が出自」という判定でした。遺伝子検査については発展途上にありわからないことも多いですが、太古の昔のこととはいえ、自分の中にイントラパーソナル・ダイバーシティを感じることができました。

人種差別とアイデンティティの探究

「アフリカでもロシアでも、どこから来た人もアメリカ人」

違いがあっても同じ——それが移民の国・アメリカの象徴であり強みですが、同時に建前であり弱みであることを、長く続く悲惨な事件を通して私たちは知っています。

奴隷制時代は論外ですが、リンカーンによって自由になったはずの黒人が、ただ歩いていただけで「気に食わない」とリンチされる。参政権をもてず、バスもトイレも学校も「黒人用を使え」と分断されていたのですから、そんな自由は不良品です。

19世紀くらいまでは、貧困や教育の機会欠如のために黒人がアートに親しむチャンスも少なく、戦前のアメリカで活躍したアーティストのほとんどは白人でした。

そんな中、この時代のアメリカの黒人画家として最も評価されているのはヘンリー・オサワ・タナーでしょう。代表作〈バンジョー・レッスン〉は、老人が孫と思しき少年にバンジョーを教えるシーンを描いています。

バンジョーは、アフリカ発の弦楽器で、アメリカの黒人社会でも演奏された楽器。この作品では、白人には描けないアメリカの黒人社会の様子が記録されています。

アメリカの人種差別を扱ったアートは多岐にわたりますが、私がぜひ取り上げたいのは、和歌山県太地町出身の日本人アーティスト、石垣栄太郎による〈リンチ〉（口絵15ページ参照）です。1909年、石垣は先に移住していた父を追ってアメリカへ。わずか15歳の彼がそこで体験したのは、壮絶な人種差別でした。

アメリカで生まれ育ったのに、ただ黒人であるというだけで暴行されることが日常茶飯事。

英語が話せないまま移住してきた黄色人種という石垣は、自身の差別体験と相まって、多くの疑問を抱いたことでしょう。

石垣の出身である太地町の太地町立石垣記念館に足を運んだ際、人種差別に関する多くの作品が展示されていて、言葉では伝わらない人種差別のおぞましさが迫ってくるようでした。リンチという目を伏せたくなるシーンもアートという形で提示されているため、正面から向き合い、反省をうながすことができる。アートがもつ深淵なパワーを感じました。

東京国立近代美術館所蔵の〈リンチ〉に描かれているのは、夜の闇の中、殴る蹴るのリンチを受けている黒人と、悪びれる様子すら見せない白人。人種差別の非人道性が余すところなく炙《あぶ》り出されます。

この作品は、私たちにある問いを投げかけます。

「自分がこの時代、黒人としてアメリカに生を享《う》けていたら？」

それほどまでに人種差別の凄惨さが迫ってくる作品であり、このような差別は石垣が生きた時代だけではなく、現在も続いています。

私がアメリカの黒人と話していて感じるのは、彼らがリアルにもっている「突然襲われる恐怖」です。

宗教や人種、性自認だけが理由で暴力を振るわれ、命さえ奪われる——その危険がゼロではないアメリカの今に戦慄しましたが、21世紀になっても決して古びない〈リンチ〉は、その恐怖が永久保存されているかのようです。それはただのメッセージではなく、「あなたは、今なお解決しない人種問題にどう立ち向かうか？」という問いです。

ぐっと時代が下がって、1980年代に活躍したアメリカの黒人アーティストが、ブルックリン生まれのジャン＝ミシェル・バスキア。建物の壁などに描くグラフィティ・アーティストだった少年は大胆で個性的な画風で注目され、21歳の若さで一躍スターに。ポップアートの巨匠ウォーホルと出会って親交を深めたことも、彼の人生に大きく影響しています。

黒人アーティストというレッテルを嫌ったバスキアは、それでも作品に黒人カルチャーのモチーフを落書きのようにちりばめて、〈黒人警察官の皮肉〉などで、黒人アーティストにしか描けない人種差別問題を表現していたと言われます。

ちなみにこの原題には「ニグロ（negro）」という差別用語が使われていますから、その意味でも白人アーティストには描けなかったでしょう。

2016年、日本の実業家・前澤友作氏が約5700万ドル（当時約62億円）で落札したことで知られる〈Untitled〉の中央には、バスキアが好んだ骸骨のモチーフがあります。

1988年、ドラッグの過剰摂取によりわずか27歳で亡くなったバスキアが生きていたら、今頃60代。熟年になった彼が、今のアメリカの人種差別問題をどう描いたのだろうと想像してみるのもいいでしょう。

人種差別問題を、「自分とは何者か?」というアイデンティティの探究に広げているのが、黒人現代アーティストとして大きな影響力をもつニック・ケイブ。2023年にニューヨークのグッゲンハイム美術館で「Nick Cave: Forothermore」展が開催されました。中でも注目を浴びたのは、音の出る〈サウンドスーツ〉です。

1991年、ロサンゼルスで黒人男性が警察に殺害されたことを契機に起きたロサンゼルス暴動にインスパイアされた〈サウンドスーツ〉は立体作品。見た目は日本の特撮戦隊ヒーロードラマの〝怪獣スーツ〟のようなもので、花、枝、羽毛などさまざまなモチーフで装飾されており、動くと音が出ます。「声を上げないといけない」と主張しているようにも思えます。

私はこの作品を見ていて、ふとスキューバ・ダイビングを連想しました。ダイビングスーツで身体を覆うと、性別も年齢も人種も、体型すらわからなくなります。顔はマスクのためよく見えませんし、言葉もかわせません。海の底に潜り、「あっ、すごい、ウミガメがいる!」とジェスチャーで知らせ合ったりするとき、「残りの酸素が不足してやばい」という非常事態に陥ったとき、お互いの属性は取り払われ、ただの人間と人間のやり取りになります。

私たちはやはり、自分たちをカテゴリー化しすぎているのかもしれません。

外見、年齢、人種、性別、職業を含めて鎧《よろい》を着て生きているデフォルトを、「全部ご破算にしてしまいましょう」という前提に変えて、「自分とは何か？」を考える。この〈サウンドスーツ〉は、見る者にそううながしている気がするのです。

「音楽、人生、アート、ダンスは一体だ」

これはケイブのメッセージです。アートで人生に影響を与え、その影響がまたアートに跳ね返っていく。素の人間に戻ったとき、アートと人生は相乗効果で新しいものを生み出していくのでしょう。

先住民との向き合い方から学ぶ、カナダの多文化主義

ダイバーシティを考えるのであれば、人種だけでなく先住民の存在を忘れてはなりません。アメリカ、オーストラリア、ニュージーランド、日本をはじめ、先住民や少数民族は世界各地にいます。「声なきマイノリティ」として黙殺せず、どうつき合っていくのか——詳しく論じるには紙幅が足りませんが、アートから学ぶことはできます。

カナダは「多文化主義」を看板に掲げる国で、バンクーバーは人口の半分以上がアジア系な

どの移民。カナダ全体でもヨーロッパ系白人が70％以上、アジア系が10％近く、先住民も5％程度を占めます。

かつてのカナダは英語・フランス語を軸とした2文化の国でしたが、ウクライナやドイツ、中国、日本など多民族が移住するようになり、今では「英語とフランス語の2言語を前提とした多文化主義」に舵を切りました。

本書執筆の動機にもなった「アートを通して世界について書いてみたい」というアイデアをもっていた私は、そんなカナダに注目しており、2022年にカナダ西部の街ヴィクトリアを訪れました。

現地は香港からの移住者も多く、まるでアジアの街を歩いているようで「多文化主義は本物だな」と実感できましたが、ピンとくるアートは見つかりませんでした。

カナダの先住民と言えば、まず「イヌイット」。かつて使われた「エスキモー」は、生肉を食べる人という意味で、今は差別語として使われなくなっています。そのほかに「ファースト・ネイションズ」と呼ばれるアメリカ・インディアンと、白人の血を引く「メイティ」と呼ばれる人がいます。

先住民の子どもたちの強制的な収容と教育が1996年まで続いた事実は、カナダの負の歴史です。独自の文化をもっていたにもかかわらず「未開で劣っている」と決めつけられ、英語やフランス語の習得、キリスト教への改宗などが強制されました。

それればかりか体罰や性虐待も多く、多数の遺骨も発見されていることから、集団虐殺もあったと推測されています。これらの事実が明らかになったのは最近のことで、カナダ社会に大きな衝撃を与えました。

カナダ政府は2015年に「6000人以上の先住民の子どもが死亡した」と公式発表。国家の罪に真摯に向き合うために、毎年9月30日を『真実と和解の日』という祝日にして各地で追悼式が行われています。

カナダは第二次世界大戦が勃発した後、日系人を排斥しています。すでに市民権を取得していた日系人を含めて2万2000人が強制的に住まいから立ち退かされ、収容所に入れられた――目を背けたい事実にもかかわらず、のちにカナダ政府は公式に謝罪し、博物館でも大きく取り上げています。

ヴィクトリアのロイヤル・ブリティッシュ・コロンビア博物館では、日系人の強制立ち退きと収容について広い展示面積があてられ（2022年9月現在）、強制収容所の責任の所在について、当時の政府関係者らの名前や役割などに基づいて検討・明示されていました。

責任の所在を曖昧にしてしまいがちな日本にはなかなかできないやり方ですが、同じ問題を繰り返さないためにもカナダから学ぶべきでしょう。

負の歴史を認めて、明らかにして、謝罪する。このシンプルなことができないばかりに、どれほどの軋轢《あつれき》が世界で生まれていることでしょう。多文化主義に反する過去の行動について、真摯に反省する。この点は大いに見習うべきではないかと思います。

「ヴィクトリアの街にはデコレーションが多いですね」

ブリティッシュコロンビア州ヴィクトリアは、先住民が多かったエリア。先住民の研究家を訪ね、意見交換をしている際に私が何気なく口にすると、「街にあるのはデコレーションではありません。先住民の文化そのものです」と反論されてしまいました。

確かにトーテムポールはネイティブアメリカンのアートであり、宗教儀式にも使われる部族のアイデンティティでもあります。木彫りの柱の形状をしていますが、それは心の支柱でもあるわけです。

大学や企業研修で話をする際に、「相手の立場、考え方に寄り添った言葉遣いが重要です」と言っていながら、先住民のアートをデコレーション、つまり単なる飾りと決めつけてしまった。さらに「アートは美術館に飾られているもの」という先入観にこだわっていた――自分の愚かさを指摘されたような気もしてきて、私は恥ずかしくなりました。

ミーティングの後、ヴィクトリア大学を歩いてみると、キャンパスの至るところに先住民のアートが置かれていて（口絵16ページ参照）、先住民への尊敬が感じられる空間となっています。

日本で言うと北海道大学の至るところにアイヌ民族のアートが置かれているようなものですが、残念ながら何度も足を運んだ同大学に、それらしきものはあまり見当たりませんでした。

自然を愛した先住民のアートは、自然な形で街に溶け込んでいるのではないか、私はそう考えるようになりました。その意識をもてば、「ピンとくるアートが見つからない」ということはなく、至るところでアートに触れることができます。

また、アカデミーや美術学校、アート集団で学んだ人だけがアーティストではないというのも、忘れてはならない視点です。たとえばオーストラリアも先住民が大きな役割を果たしてきた国ですが、先住民アートを代表するエミリー・カーメ・ウングワレーは70歳を過ぎてから絵を描き始めました。彼女は美術教育を受けたことはないようですが、生涯で3000点以上の作品を残しています。

ダイバーシティとインクルージョン（包摂）の社会をつくるためには、過去のやり方にとらわれない新しい視点が必要です。しかし、過去の過ちを認め、責任の所在を明確にして反省しないと、未来は変わりません。

これからの時代は世界中の普通に暮らしている人々から、新しいアートが生まれてくるのかもしれません。特に情報化社会の今は、スマートフォン一つで画法を学ぶことも、作品を海の反対側にまで発表することもできます。

忘れてはいけない過去と、こだわってはいけない過去と、新しい時代。

ダイバーシティは多様性の認識と平等の実現ですが、併せて大切なのは多様なすべてを包括し、尊重し合うインクルージョンです。カナダのような多文化主義から、また新しいアートが生まれてくるかもしれません。

第12章　パブリックアートで格差に挑む
——ラテンアメリカ

先住民の視点とヨーロッパへの反骨心——ボテロ

ラテンアメリカの国々の博物館でときどき目にするのは、「植民地時代の収奪や強制に関する展示」です。驚くのは、時には拷問すらして、強制的に改宗を迫ったキリスト教に関連する展示です。

ラテンアメリカと言えば、スペインやポルトガルの支配が長く、今では敬虔なカトリックとなった国々。コロンブスがやってくる前、アステカ、マヤ、インカなどの国が栄えており、数学や天文学をはじめ高度な文明を誇っていたことは、史実からも検証されています。王の墓などから発掘されたアートを見れば、キリスト教ではない多神教が崇拝されていたことは明らかです。

一神教であるカトリックのスペインやポルトガルによって、先住民たちが日常的に足を運んでいた神殿や宗教施設が破壊されたケースも多かったでしょう。当時の人々にしてみれば、「先祖代々敬ってきた神様を壊すとは何ごとか」といった反発があったことは間違いありません。

その遺恨が強制的な改宗についての展示になったのだと思いますし、植民地にされてもなお、民族独自の文化はどこかに残っているのでしょう。白人でない、褐色の肌のイエス像が多く作られているのは、その表れかもしれません。

スペイン・ポルトガルのカトリック文化と融け合いながらも、完全にアイデンティティを消しはしない。そんなラテンアメリカの現代アートを代表するのは、コロンビア出身のフェルナンド・ボテロです。

ボテロ作品は、なんと言ってもそのふくよかさが特徴です。八頭身のギリシア彫刻とは異なり、頭が極端に大きく、身体も豊満。コロンビア出身の彼は、絵を学び始めて間もない17歳の時点ですでにふくよかな姿を描いており、イタリアでルネサンス美術に触れた際に豊満な人物像が多いことに刺激を受け、いっそうふくよかさを追い求めていきます。

特定のモデルについて描かず、「頭の中で見た風景」を描いているため、モデルとなるのは聖母マリア、〈モナ・リザ〉、そして故郷をはじめとする風景が多いようです。

ユニークなモチーフには、政治的な批判も込められており、ニューヨークに拠点を移しても、やはりラテンアメリカへの思いがあるのがみてとれます。

奇しくも2023年9月15日に91歳で亡くなりましたが、ボテロが1960年代に確立したふくよかなスタイルは、最近になってダイバーシティで提言されているプラスサイズモデルにも通じるように思えます。

ファッション業界は「背が高く痩せた若い白人のモデル」を長らく美の基準としてきました。身体の美しさから黒人、アジア人のモデルの登用については早くから進みましたが、やはり長身で若くて美しい。この画一的な美の基準は、前述したギリシア彫刻のつくった美の基準に縛られているのと同じ流れです。そのため、無理なダイエットで痩せようとして摂食障害になる若い女性も多く、長らく問題視されてきました。

そこで「美の多様性をファッション業界にも！」と登場したのが、ふくよかなプラスサイズモデル。ボテロの作品はその先駆けとも言えますし、犬も果物もふくよかに描かれた彼のユーモラスなアートと向き合っていると、心がほっこりしてきます。

ボテロの作品のうち私が特に先住民の視点やヨーロッパへの反骨心を強く感じる作品は、〈コロンビアの聖母〉。マリアに抱かれたイエスが、アジア系の顔をしているように見えます。

絵画では白人のように描かれることが多いイエスですが、人種は確定的にはわかっておらず、浅黒い肌だったのではないかという説もあります。

「私がつくるものに、ラテンアメリカの魂がしみ込んでいることを願っている」

ボテロは、このような趣旨のことを述べています。

彼はキリストをあえてアジア系の顔に描くことで、アジア系に似た特徴をもつ先住民を表現したようにも思えます。私には、この絵は「人種は人類にとってどんな意味があるのか?」といった根源的な問いを発しているように感じます。

「あり得ない肌の色」で人種差別を超越する

あくまで比較の問題ですが、ラテンアメリカの国々は、アメリカほどの人種差別がないことが大きな特徴といえます。その理由の一つは、人種・民族のハイブリッドが進んでいること。先住民、ヨーロッパ系白人、アジア系、アフリカから連れて来られた黒人など、多くの人種と民族が混じり合っています。

白人のように見えても、先住民やアジア系、黒人の血を引いている人は非常に多くいて、おそらく本人たちにも「正確な血統はわからない」というところでしょう。

意識しているかどうかにかかわらず、ラテンアメリカの人種融和は、グローバル化が進む世界において大きな影響力をもつと思います。

このような混交を描いたのが、17世紀にメキシコで活躍したアーティスト、ミゲル・カブレラ。自らもハイブリッドである彼は宗教画を多く残していますが、メキシコの異人種間結婚に関するシリーズの〈スペイン人と彼のメキシコのインディアンの妻とその子供〉という作品があります。

17世紀なので、肌の色による差別も強かったと推測されます。しかし、混交自体が絵画のモチーフになること自体、ラテンアメリカらしいハイブリッド文化の出現を予感させます。

人種融和をラテンアメリカから発信しているのは、1974年生まれのブラジル人現代アーティスト、オスジェメオス。サンパウロを活動拠点とする彼らは一卵性双生児のデュオで、街中の壁に描くグラフィティ・アートで注目され、今ではカンバスに描くアートやインスタレーションなどを発表して国際的な評価を受けています。

オスジェメオスのアートの特徴は、なんと言っても人物の顔が黄色という点。アジア系という意味ではなく、アニメキャラクターのような黄色で、作品の統一的なテーマと言っていいでしょう。白人でも黒人でもアジア人でもない顔にすることで、人種を超えた人間を描きたかったのではないかと私は考えています。

肌の色の濃淡は、その人種がどのような環境で長く暮らしてきたかによって異なります。アフリカという日差しの強い地域で暮らしてきた人は濃い色の肌の黒人になり、陽光に乏しいヨーロッパで暮らしてきた人は薄い色の肌の白人になりました。黄色人種は、その中間というところでしょうか。

それだけのことなのに、世界では肌の色で分断や差別が起きています。

アートの世界においても、人種の問題は深刻です。描かれる対象が「白人が中心」である時代が長く続き、黒人やアジア系を描いた作品があっても、それらは「その地域特有の民族アート」と位置づけられていたのです。そして今も、それは色濃く残っています。

「それならいっそのこと、どんな人種でもない人物を登場させればいい」とオスジェメオスは考えたと私は思っています。

オスジェメオスの作品は、人種差別・白人中心という二者を超越して、さらなる高みに辿り着くアウフヘーベン（止揚）のように感じられます。

パブリックアートが格差社会を変える？

「ラテンアメリカって治安が悪いんでしょう？　政治や経済で苦労している国が多そう」

日本ではおそらくこのような声が多数派だとは思いますが、ラテンアメリカを回っていると、アートに溢れた国だと感じます。それはラテンアメリカ、特にメキシコに多いストリートアートが醸し出す雰囲気でしょう。あちらの壁にもこちらの壁にも、初期のバスキアやオスジェメオスのようなグラフィティ・アートが描かれていますし、バンクシー顔負けのハッとするような作品も見つかります。

壁に描くのは、貧しい人でも鑑賞できるから。言うまでもなく、美術館に行くにはお金がかかり、貧しい庶民にそんな余裕はありません。

アートは一部の富裕層のものではなく、むしろ日々厳しい生活をしている貧困層にこそ、アートによる癒しが必要です。それなのに、アートを見るにはお金がかかる！　日本でも美術館の企画展は2000円ほど。ビジネスパーソンなら「投資として安い」と感じられても、さまざまな事情から「2000円も出すなら別のことに使いたい」と思う人はいるはずです。

ましてや所得格差を示す指標であるジニ係数が非常に大きいラテンアメリカ諸国では、貧しい人は本当に貧しい。「美術館？　何それ」という人が珍しくないでしょう。

アメリカのメトロポリタン美術館は長い間、“Pay What You Wish”という、入場者が払いたい額を払えばいいという入場料システムを設けていました。

目安となる額はあっても、富裕層は高額を払うことがありましたし、学生など「お金がないから1ドルだけ」という人も許されていたのです。しかし2018年に、ニューヨークとその周辺の州在住の学生以外は定額料金になりました。

「メトロポリタン美術館は赤字経営。貴重なアートの維持費や改修費の捻出が難しいため」とNYタイムズは報じましたが、アート格差の助長も心配されるところです。

さらに美術館に行きにくくなっているのは、お金の問題だけではありません。

「忙しくてわざわざ美術館に行く暇なんかないよ！」というような時間がない人も、たくさんいます。

「忙しいし、なんでもネットで見られるからいい」という意見もありますが、色、タッチ、質感、何よりインスタレーション作品は、じかに見なければわからないことが多くあります。

アートに込められた情報量は、画像だけでは伝わりません。

だからこそ、お金のない人にも忙しい人にも、アート鑑賞の機会を広げる努力が必要で、その実践が壁に描かれたグラフィティ・アートなのです。


メキシコのパルミタスでは、街全体をカンバスとして政府とアート集団が色づけています。カラフルなかわいい街に生まれ変わると、対立していたギャング同士も協力するようになったというから驚きます。

ベネズエラのカラカスでは、さまざまな色をしたペットボトルの蓋を使ったアートが、子どもたちも巻き込んで制作されています。ベネズエラに限らず、ペットボトルの蓋を使ったアートは、キャップアート（蓋のアート）として、日本を含む世界各地でつくられています。誰でも参加できるアートは、人々の間に協力するマインドをつくり上げ、環境保全の関心も高めます。アートを使った環境教育で社会が変わり、暴力やドラッグ使用が減少する。私たちはアートの力の偉大さを、もっと信じて活用していくべきです。

公園、道路、駅などの公共空間にあり、街を魅力的なものにするアートを「パブリックアート」と言います。ストリートアートが「消したらおしまい」なのに対して、パブリックアートは恒常的に展示されるものです。近くで見るには入場料が必要ですが、日本だと岡本太郎の〈太陽の塔〉が有名です。

わざわざアートを見にいかなくても、日常的に目に入ることで人々の心も変わっていく――そんな効果が期待されています。

ポップアートの誕生から、すでに70年以上。アートのパトロンは、私たち一般の人々となったのかもしれません。かつて教会やモスクや神社が人々のよりどころになっていたように、「いつも見かける地元のパブリックアート」は人々の心を潤し、活性化することもできるのです。

リベラとフリーダ・カーロ夫妻が描く「人種間の融和とフェミニズム」

20世紀のメキシコを代表するディエゴ・リベラは、壁画アートを多く残しました。アメリカのデトロイト美術館には彼の名を冠した「リベラ・コート」というエリアがあり、その壁面を彩るのは〈デトロイトの産業〉という彼のフレスコ画です。

この作品に描かれている白人と黒人が一緒に汗を流して働く自動車産業の一場面は、1886年生まれのリベラが活動した時代には、決して多くはなかったはず。メキシコ出身のリベラは「人種間の融和」というメッセージをこの壁画に込めたのだと、私は捉えています。

20世紀初めのメキシコは「白人資本家の支配者層VS.インディオやメスティーソらの貧しい農民」という構造で格差が広がり、革命が起きます。その際、アーティストたちは壁画を通して、政治理念やメキシコ人の誇りを人々に訴えようとしました。これが元祖「壁画運動」です。

リベラは、スペインやパリでアートを学んだ社会主義的な考えのもち主。「メキシコ壁画運動」に参加する際は、イタリアのフレスコ画も取り入れて、社会運動とアートを結びつけました。

今日のラテンアメリカの壁画アート、グラフィティ・アートは、ヒップホップの影響なども あって、いかにも新しく思えますが、実は100年前からこの地にあった運動とつながっているのです。

……と書くと、リベラはまさにヒーローなのですが、彼はメキシコを代表する女性アーティスト、フリーダ・カーロの〝浮気な夫〟としても知られています。

ドイツ生まれの父と先住民の血も引く母。フリーダ・カーロは、血統的に典型的なラテンアメリカ人と言えます。彼女の作品の大半は自画像。多くのアーティストが自分を描いていますが、ここまで自分ばかり描いた画家は稀です。

浅黒い肌、一本につながった眉、強い眼差し、民族衣装と結い上げた髪。ラテンアメリカの多くの国で11月に行われる〝ディア・デ・ムエルトス（死者の日）〟という風習に使われる骸骨人形。彼女自身も、ちりばめられたモチーフも、すべてがラテンアメリカの風土を濃厚に映し出しています。

しかし、彼女が描いたのは単なる自画像でもなければ、ラテンアメリカの風土でもありませんでした。

幼い頃にかかったポリオのために片足に麻痺が残ったカーロは、18歳のときバスで通学中に事故にあい、鉄棒が腰を貫通するという大怪我を負います。寝たきり生活を余儀なくされたとき、カメラマンの父が渡したのが絵の道具。それが彼女が絵を描くきっかけでした。

リベラと結婚したのは22歳のとき。彼の影響で世界のシュルレアリスムのアーティストと交流し、社会主義運動にも関心をもちます。世界史を見渡しても、夫婦ともに歴史に名を刻むアーティストはそう多くなく、20世紀で言うとジョン・レノンとオノ・ヨーコくらいインパクトのある夫婦ですが、この2人は飛び抜けて激しい。

結婚した当時、すでに名声を博していた21歳年上のリベラは、女性問題が激しすぎてトラブルを起こす人物。結婚しても浮気三昧で、相手にはフリーダ・カーロの妹も含まれていました。フリーダ・カーロもカーロも婚外恋愛は激しく、ロシア革命の重要人物トロツキー、父が日本国籍であるアメリカ人アーティストのイサム・ノグチなどと恋愛関係をもち、バイセクシャルであったことから恋人の中には女性もいたと言われます。

この夫婦は二度離婚しており、お互いに綺羅星のようなアーティストと次々に恋をしますから、もしもワイドショーがあったら高視聴率を叩き出し、SNSだったら炎上することでしょう。

フリーダ・カーロは自分の恋、夫の不貞に対する悲嘆、子どもを望みながらも流産を繰り返したこと、大怪我のために障害を負い、20回も再手術をした挙句に片足を切断せねばならなくなったことなど、すべてを赤裸々に描き出しています。

シュルレアリスムなので不思議で幻想的であると同時に、失われた胎児などが描かれたものには生々しさも感じます。つまり自分の内面を見つめ、女性の痛みを激しく叫ぶように表現したのが、フリーダ・カーロの〝自画像〟なのです。

近代アーティストは自己探究を表現しましたが、フリーダ・カーロはそれまであまり表に出されてこなかった女性としての苦しみも表現したことで、フェミニズムのアイコンという評価もされています。アートは長らく白人優位だったと前述しましたが、男性優位でもありました。

近代には、ベルト・モリゾ、マリー・ローランサンらの女性アーティストが誕生していますが少数であり、しかも女性らしく美しい表現がほとんど。全裸の股間から血と自分の頭部が覗いているフリーダ・カーロの作品が当時、衝撃的だったことは、おそらく私たちの想像以上です。

＃me too運動は、被害を「なかったこと」にして今までは沈黙していた女性たちが声を上げることで始まりましたが、それよりも随分と前に、フリーダ・カーロはアートで声を上げていたのです。

ちなみに〝ジョン・レノンのパートナー〟として名高いオノ・ヨーコは、ジョンが憧れた著名なアーティストであり、観客に自分の服をハサミで切ってもらうというパフォーマンスアート〈カット・ピース〉を1964年に披露して大評判となりました。

服にハサミを入れることで女性に対する抑圧を実感させるなど、さまざまな解釈ができる作品ですが、「女性の抑圧を本当に理解していますか？」「言葉では解放されたいと言うけれど、それは本当？」などといった問いを投げかける現代アートです。

フェミニズム・アートは現代アートの一大ジャンルであり、アメリカのシンディ・シャーマンやスイスのピピロッティ・リストなど、世界的な女性アーティストが誕生しています。

彼女らの作品から、そしてカーロの作品から、ジェンダーについて思考するのも、アートとの対話です。特にビジネスパーソンは避けては通れないトピックですから、じっくりと向き合ってみてはどうでしょう。

第13章 多様で鮮やかな色彩 ——南アジア・東南アジア

世界で最も多様な国インドの「色彩の洪水」

世界97カ国を訪問した中で、私が「多様だなぁ」と実感するのがインドです。

インドがアジアだと考えられているのは、仏教というアジアを代表する宗教の発祥地であり、その後ヒンドゥー教文化という非キリスト教文化を生んだからでしょう。

しかし、言語的にも血統的にも、中国など他のアジア系よりもヨーロッパ系に近く、特に北部にはヨーロッパ系のように見える人も多くいます。

「インド系の活躍」というと、シリコンバレーのIT系の人たちを連想します。確かにそのとおりで、グーグルやマイクロソフトのCEOを輩出していますが、言語も宗教も多様なインドは多文化共生社会への適応力も高いと言われ、国際政治の中でも注目される存在です。

国連などの国際会議でも、インド人、インド系は立ち回りがうまい印象。地理としてはアジアでありつつ、血統や言語はヨーロッパ方面にルーツがあり、長く交易を通して交流してきたことや移住者が多いことを考えれば、アフリカとも密接な関係があります。

宗教はヒンドゥー教が主ですが、イスラム教徒も多数いますし、多民族国家ゆえに多言語国家でもあります。

「インドは国会でさえ通訳が必要」とされるとおり、連邦公用語であるヒンディー語であっても、南部出身だと解さない議員もいます。

何もかもが混沌としている極端な多様性を活かして、インドは国際社会で頭角を現しつつあります。ロシアや中国とも西側諸国ともうまくやる、〝中庸の外交手腕〟を発揮しているのです。地政学的にも、これからますます重要な存在となっていくでしょう。

インドでは古代から本格的な絵画の制作が行われ、アジャンタ壁画のように現在まで残っているものが多くあります。しかしなんと言っても、多様性を反映しているカラフルさがインドのアートの特徴です。

春に行われるヒンドゥー教のホーリー祭は、カーストに関係なくカラフルな色の粉や色水を掛け合う風習があります。その鮮やかでとりどりの色を見るにつけ、私は「インドの多様性の象徴だ」と感じます。

極彩色で彩られたヒンドゥー教の寺院、そこに捧げられる赤、ピンク、黄色の美しい花飾り、女性たちのサリー。そんな色鮮やかなインドの伝統を受け継いだアーティストが、現代彫刻家のアニッシュ・カプーア。世界で最も注目されるアーティストの一人です。

ムンバイ出身でロンドンでアートを学んだ彼は、インドに一時帰国した際、ヒンドゥー教寺院で伝統的に使われてきた粉末顔料に着目し、インドそのもののような色鮮やかな作品を発表。床に鮮やかな粉末顔料を砂山のように盛り上げたり、自在に散らばせたりするもので、ロンドンのアートシーンでも世界でも一躍注目を集める存在となりました。

無機質な手法で〝多様性〟を表現するカプーア

2012年のロンドンオリンピックの際につくられた赤い網目がまつわりついたような展望台〈オービット（軌道）〉は、カプーアが制作したもの。シカゴの〈クラウド・ゲート〉などのパブリックアートもよく知られており、これは鏡のように辺りを映し出す巨大ステンレスで、その形状からついた愛称は〝ビーン〟。

さらに2023年2月には、マンハッタンの商業ビルにも高さ6メートル、重さ40トンという、とんでもなく巨大な〝豆〟が出現しました。

「今やロンドンを代表するアーティストだけに、ヒンドゥーの極彩色からモダニズムに軸足が移ったのか？」などと思いそうになりますが、激しいまでに鮮やかな絵画も発表しており、多様さは健在です。

考えてみれば、一見無機質な〝豆〟はパブリックアートですから、空も建物も街ゆく人もリアルで、それらを映し出すことで完成する作品です。1日として同じ日はなく、通行人が全員同じという日もない。それはやはり多様性であり、別のアプローチの〝インドの極彩色〟だと思うのです。

カプーアの母は、バグダッド出身のユダヤ系でした。母親の影響でしょう、イスラエルのキブツ（イスラエルの集団農場）で働いていたこともありますが、現在はロンドンに在住しています。自分の中にさまざまなルーツが存在するイントラパーソナル・ダイバーシティが、インドが元来もっている多様性をさらにバージョンアップさせたのではないかと私は考えています。

カプーアの作品は、日本国内では、金沢21世紀美術館に恒久展示されている〈L'Origine du monde（世界の起源）〉がよく知られています。これは、クールべの同名の作品を参考にしながらも、カプーア独自の視点で、世界の起源について問いかけたものです。

彼はまた、建築家の磯崎新とタッグを組んで、東日本大震災の被災者のために移動式コンサートホール〈アーク・ノヴァ〉を制作しています。被災者を勇気づけてくれる明るさと楽しさが感じられる作品です。何もかもなくなってしまっても、どこでもアートが楽しめるような移動する建物。インド出身のアーティストの底知れない魅力に触れると、「発想の自由」などという枠すら外した〝思考〟ができそうです。

「アジアのキリスト教文化」を体現するフィリピン

文化的に東洋と西洋の架け橋になり得る国はいくつもあり、アジアで西洋文化を深く受け入れている国というと、間違いなくフィリピンです。その理由の一つはキリスト教、もう一つは英語です。

アジアに多数の国はあれど、国民の過半数がキリスト教徒であるアジアの国は、フィリピンだけです。ごく普通の人が母語に近いレベルで英語が話せる国としても、アジアでフィリピンに並ぶ国はほぼありません。そのため日本でもフィリピンに語学留学したり、フィリピン人教師にオンラインで英語を学んだりする人が多くいます。

同時に日本には、「フィリピン？　あまりいいイメージがない」と言う人もいます。貧困、治安の悪さ、独裁的な大統領などが一因だと思いますし、日本のビジネスパーソン殺害事件があったことも事実ですが、実質GDP成長率は、コロナ禍の2021年でも5・7％（フィリピン統計庁発表）。人口が多く、平均年齢が26歳と若く、英語を話すフィリピンは、ポテンシャルの高い国です。

アートの世界でも成長株で、世界最大級の現代アート・フェア「アート・バーゼル」にもフィリピンからの出展が増えています。

マニラ出身でフィリピンを拠点に世界的に活躍するロナルド・ヴェンチューラは、インスタレーションも立体も絵画も手掛ける現代アーティスト。

アニメのキャラクターから古典的な宗教画のモチーフまで組み合わせている彼の作品は、黄金の骨をたずさえた犬〈ボブロ〉など、とても親しみやすいものに見えますが、実は複雑。「写真の上にアニメキャラが描かれている」かと思えば、その写真そのものがずば抜けた技術で描かれた油彩だったりします。

フィリピンは民族的にはマレー系で、もとはマレーシアやインドネシアと共通する文化をもつイスラム教徒が多い国でした。

ところが、スペインに植民地化されたことで、カトリックに改宗。これが半ば強制的だったことは、ラテンアメリカの事例から推測できます。

第二次世界大戦では日本軍に占領され、やがてアメリカに支配が変わり――ヴェンチューラはフィリピンの歴史を、まるで層のように積み重ねて表現していると評されています。

宗教と言語という民族のアイデンティティそのものが変化しているのですから、フィリピンは激変の波を受けた国と言えます。

しかし、さまざまに変わった「今のフィリピン」も、まごうかたなきフィリピンです。何も知らない子どもの頃の自分と、経験を重ねた今の自分がまったく違っていても、どちらも自分であるように。

フィリピンという変化を続ける国は、これからどう変わっていくのか？　変わらないものは何か？　知る人ぞ知る、音楽、ダンス、演劇の宝庫であるこの国のイメージを、アートを通して更新してもよさそうです。

第14章　新・経済大国のアート市場——中国

経済でもアートでも大国となった中国

アートはビジネスの巨大市場になっていることを、ビジネスパーソンならご存知でしょう。

2023年のアート・バーゼルとUBSの調査による最新データでは約9兆円市場と言われます。国別に見ると、アメリカが45%、イギリスが18%、中国が17%となっています。

トップランナーはずっとアメリカでしたが、中国がアメリカとイギリスを抜き去る時がくるかもしれません。

「中国の共産党は、自由な発想を重視するアートとは対極にあるのでは？」

「景徳鎮、山水画、京劇などの伝統的アートならわかるけど」

これはひと昔前のイメージで、情報が更新されていない人が中国に行けば、北京市内と北京首都国際空港の間にある「798芸術区」を知って驚くことになります。

半導体や軍事関係の工場が集まる「798廠《しょう》」と呼ばれた区域が工場の閉鎖に伴い廃墟になると、アーティストたちが集結してアトリエにしました。

「現代アートは反体制のアジトのようなもの」

中国共産党政府は閉鎖を考えましたが、アートのレベルは高く、たちまち世界での知名度が上がりました。結果として、政府は芸術村として整備することにしたのです。

ニューヨークのグリニッジ・ヴィレッジやソーホーと並び称されることもあるほどですが、そこはやはり中国。「毛沢東　万万歳」と書かれた展示物もあったりして、政治的な制約があることは明らかです。

アーティストは貧困や差別などの不遇からアートを生み出すこともありますが、アート市場は常に経済発展しているところ、お金のあるところで成長します。

1950年代に大衆のためのポップアートが誕生し、アートのパトロンは富裕層から大衆とコマーシャリズムに変わりました。

しかし同時に一点もののファインアートは、投資の対象として超がつく富裕層や起業家、投資家という新しいパトロンを見つけたのです。日本でもバブル期の1980年代には、お金のありあまった企業がゴッホなどの絵を高額で買い漁りました。

桁外れの富をもった人々は、GAFA改めMATANAのビッグテックだけではありません。

中国の富裕層がこぞってアート市場に参入し、日々存在感を増しています。

アートとビジネスは別物のように見えて、実は切っても切れない関係にあります。リーマンショック以降も、投資のためのアートは〝最高値《さいたかね》〟を更新し続けています。

アート市場について簡単に言うと、アーティストとギャラリーが組んで初めて市場に売り出すのが「プライマリー・マーケット」。これがデビューです。

しかし今の時代のアートは、「一つの作品を買って先祖代々大切にする」というものではありません。再び市場に出る「セカンダリー・マーケット」で、さらに価値が高まることが大切。

評価がまだ定まっていないアートは、「プライマリーで初めて市場に出たとき5万ドルだったのに、セカンダリーに出したら100万ドルで落札された」と価値が爆上がりすることもよくある話です。

クリスティーズ、サザビーズなど、誰もが耳にしたことがある市場で売買が行われ、コレクターや画商、美術館だけでなく、投資家が参入して巨大マネーが動いています。

現在、世界最高額のアートは、2017年にクリスティーズで落札されたレオナルド・ダ・ヴィンチの〈**サルバトール・ムンディ**〉（口絵15ページ参照）で4億5000万ドル。落札者は明かされていませんが、サウジアラビアの王子と言われています。

通常、ダ・ヴィンチとなると、まず所有者が手放さないので市場に出ませんし、印象派やピカソあたりもアーティストが存命でないゆえに「限定品」となっています。ただでさえ桁外れの高額アートは最高値を更新し続け、買いたくても買えません。そこで注目されるのが、現代アートなのです。

前述したウォーホルのマリリン・モンローは1億9500万ドル、存命するアーティストの最高額は、本書執筆時点ではアメリカの現代美術家ジェフ・クーンズによるステンレス彫刻の〈ラビット〉で、9107万ドル（当時のレートで約100億円）でした。

ちなみに前澤友作氏が2016年に約5700万ドルで落札したバスキアの〈Untitled〉は、2022年5月に8500万ドルで落札されました。したがって彼は投資家としても目利きだったことになります。

世界最大級の現代アートの見本市は、スイスのアート・バーゼル。

「へえ、無料の展覧会なの？」と誤解するかもしれませんが、来場が許されるのは、狭き門を潜り抜けて出典を叶えたアーティスト、世界トップクラスのギャラリー関係者、コレクター、そしてキュレーターやアートの専門家だけです。

ここでは売買も行われています。

世界に現代アート見本市はありますが、中国最大級の見本市は上海の「ART021」で、深圳《シンセン》にも新たなアート市場ができています。

「中国の新富裕層が、アートを買いまくっている」

これは歴然とした事実であり、アートのオークションのデータを扱うArtprice社によると、2022年のファインアートのオークションの売上ランキングだと、1位がアメリカで73億ドル。中国は39億ドルで2位です。3位はイギリス、4位がフランス、5位はドイツ、6位イタリア、7位が日本となります。

日本の売上が1億8500万ドルというのはやや寂しい気がしますが、中国が絶対王者だったアメリカを追いかけているのは事実で、今後の中国経済の動向とともに注目したい点です。

ここまで市場が拡大すると、世界のアーティストが「中国市場で売れること」を念頭に創作する可能性はなきにしも非《あら》ず。共産党好みのアートが世界で生産される……。ちょっと恐ろしい感じもしますが、いずれにしても中国人富裕層がアートの新たなパトロンとなっていることはおわかりいただけたと思います。

メンツの国・中国でなぜアートが好まれるのか

中国でここまでアート市場が過熱しているのは、経済発展が理由であり、新たに生まれた富裕層の投資対象になっているからであることは間違いありません。

しかし私は、そこに中国の民族性が絡んでいると見ています。つまり「メンツの国」であることが、じわじわと影響しているということです。

自分を大きく見せたいし、そのためには躊躇なくお金を出す。これは遣唐使の時代から変わらない民族性で、朝貢に訪れた周辺アジアの国々に気前よく土産をもたせたことも記録にあります。

今でも中国人と食事に行ったら、財布を出す仕草さえできないほど。「こっちが全部出す、おごる！」というのが中国人のデフォルトで、「さあ、好きなだけ食べなさい」と鷹揚に振る舞うのが、メンツを保つうえでは好ましいのかもしれません。

日本企業幹部の方と一緒に視察団として深圳を訪問した際、たまたま深圳市の共産党の人と食事をすることになりました。

「お願いして視察させていただいたのだから、食事代は日本が出します」

「いや、絶対に我々が払います」

日本の視察団と中国共産党で事前調整の段階で押し問答となり、結局、視察団の財布は開かずに終わりました。

それほどメンツにこだわる誇り高き中国人が、高額なアートを購入してパワーを誇示するというのは、いかにも〝らしい〟ことで自然にも思えます。

アートを「ただの成金ではない、世界に通用する教養溢れる人物だ」という証明にも使ってきたのは、フランス革命以降のブルジョワも、アメリカのお金持ちも同じです。

また、中国は実利の国でもあります。中国で大きな影響をもつ儒教は、死後のことをあまり扱いません。大切なのは現世であり、「今どう生きるか」ということに重きが置かれているのです。

したがって「安く買って高く売って、格好の投資となる」現代アートが好まれている側面もあると考えます。もちろん資本主義のもと、世界中の人がこの思惑でアート市場に参入しているわけですが、共産主義の中国でも同じルールが適用されているのは、やはり脈々と続く実利の精神があるからだと思われます。

「壊すこと」で体制に抗議する艾未未

水墨画、陶磁器、彫刻、書。中国にも優れた古典的アートはたくさんありますが、忙しいビジネスパーソンは興味がなければスルーしていいでしょう。押さえておきたいのは現代アートで、代表的存在が世界的に活躍する現代美術家の艾未未《アイ・ウェイウェイ》。

艾は、2008年の夏季の北京オリンピック、2022年の冬季の北京オリンピックの開会式・閉会式など主会場になった〈鳥の巣〉を共同設計したことで知られ、「艾未未って聞いたことがある」という人も多いと思いますが、「よくわからない」という人も少なくないでしょう。

「オリンピックで仕事をしているのだから、共産党との関係も良好では?」

知らないからと、こんなふうに考えたら、とんでもない誤解です。

詩人だった艾の両親は文化大革命で労働者収容所送りとなり、1957年生まれの彼は過酷な環境で育ちます。

ご存知のとおり文化大革命とは「学問や芸術は、堕落した資本主義の表れだ。けしからん!」として罰するという毛沢東の最悪の愚策。「労働こそ善」という新たな国家をつくろうとして、アーティストやインテリは都会から追いやられ、農業などを強いられたのです。

知識人も労働者としての意識が低いとされましたから、ビジネスパーソンのほとんどは「下《か》放《ほう》」、すなわちエリート階層から追放です。

やがて革命の嵐が過ぎ去った頃に艾は北京電影学院で学び、アメリカに留学。現代アートを知り、さまざまな出会いをして〝アーティスト艾未未〟へと成長を遂げます。

詩人であり、政治的な発言をして収容所送りになった両親をもつ艾は、DNAからして現代アーティストです。さらにアメリカで多様な価値観に触れたのですから、人権意識が高まるのは自然なこと。帰国後は表現の自由を重視し、個人の権利に介入する政治権力と戦う姿勢を強くもって活動を始めました。

２００８年の四川大地震発生時は、ソーシャルメディアで当局の対応を厳しく批判。そのため、２０１１年に北京の空港で中国当局に捕らえられ、81日間も拘束されました。国際社会の働きかけでなんとか釈放されましたが、その後もパスポートを取り上げられるなど中国当局のいじめは続きました。

現在は欧米に拠点を置き、中国政府を批判しながら国際的なアーティストとして活動しています。

艾の作品で有名なものに、〈漢時代の壺を落とす〉というパフォーマンス・アートがあります。貴重な壺をあえて壊すことでモノの本質を見極めることをうながしており、私には「中国共産党の政治権力も、その本質を見極めていかないといけない」という中国国民へのメッセージが詰まっているように思えてなりません。

２０２２年10月に来日した艾は、第33回世界文化賞の授賞式に出席。インタビューでは戦争や難民問題、環境問題など世界が直面する課題について言及しています。

「芸術は何のためにあるのかと自問しなければならない。芸術には常にメッセージがあり、発し続けなければならない。芸術は人の深いところにある哲学的思想、倫理的信条と結びついている」（産経新聞2022年10月16日）

「メッセージ、哲学、思想」という言葉こそ現代アートの本質であり、単なる美や叙情とは一線を画しています。

艾の作品は、ビジネスパーソンが世界の問題を考える際の思考のツールとしてうってつけなのですが、私が特におすすめしたいのは3000台もの自転車を使ったインスタレーション〈Forever Bicycles〉。

戦後の中国は、平等な人々が労働に勤しむ象徴のように、みなグレーやベージュの制服・人民服を着ていました。私が初めて北京に行ったのは天安門事件の前年である1988年ですが、人民服を着た驚くほど大量の人々が自転車で行き交う姿に、仰天した記憶があります。

その後間もなく自由な服装が許され、今や中国の人たちはグッチやプラダを爆買いしています。共産主義は続いていながら〝市場経済〟が導入され、一見すれば、西側と同じに思えます。

しかし、そこに艾は疑問を投げかけるのです。

「豊かになって楽しんで、今の中国は自由になったように見えるけれど、実は共産党の支配は、自転車に乗っていた頃から何一つ変わっていないよ」と。

共産主義の欺瞞《ぎまん》を揶揄《やゆ》するような、ライトアップされた自転車のインスタレーションが最初に公開されたのはカナダ。中国本土での公開は難しいでしょう。

何も知らずに見れば「ふーん、自転車がいっぱい。昔を懐かしんでる?」などと見当違いの感想を抱いてしまいますが、近代史や今のニュースを知っていれば、現代アートの面白さ、メッセージ性がよくわかります。

自転車という、かつての中国の主要な移動手段をアートに変えてしまうことで、「本当に中国の変化は好ましい方向に向かっているのか?」と問いただしているように私には感じられました。

中国のアートはこれからどうなるか

現代アートビジネスで世界の覇者となったとしても、アーティストを育む場所として、中国はいささか苦しいのではないかというのが私の仮説です。

理由の一つは、もちろん独裁的な政治体制。

香港のインスタレーションを主とする現代アートの美術館「M+(エムプラス)」には、私が訪問した2023年5月時点では、艾の作品が大きく展示されていました。

また、香港在住の知人の話では「共産党政権は、香港ではアートに関してはそこまで徹底的に取り締まろうとはしない」とのこと。

しかし中国のアートシーンの中心と言われる上海や新たな市場である深圳などの本土で、艾のアートを目にすることは難しいでしょう。この先、香港でさえ艾のアートが撤去されたら、表現の自由に危険信号が灯ったということです（ちなみに知人が2024年2月にM+に行ったところ、艾の作品は展示しておらず、スタッフに聞いても、明確な回答を得られなかったとのことでした）。

中国の現代アートシーンを見てみれば、「笑う男」のモチーフで知られ、サザビーズで作品が6・5億円で落札された岳敏君《ユエ・ミンジュン》、日本の村上隆に続くポップアートの担い手として注目される徐震《シュー・ジェン》など、中国で次々と国際的アーティストが生まれているのは事実です。

また、2008年の北京オリンピック開会式・閉会式の監督を務めた陳凱歌《チェン・カイコー》や張芸謀《チャン・イーモウ》は世界的な映画の巨匠であり、彼らも艾も北京電影学院の卒業生。つまり、国をあげてアーティスト育成に努めていると言えます。

これは「国策として、エンターテインメントで世界に打って出る」という韓国と共通するようにも思えます。

アカデミー賞を受賞した韓国映画『パラサイト』の素晴らしさは言うまでもなく、韓国ドラマも質が高いのですが、中国も負けてはいません。私もケーブルテレビの「チャンネル銀河」

が配信する中国歴史ドラマにすっかりハマっているほどです。

しかし、国策というのは諸刃の剣《つるぎ》です。人口14億人を誇る中国から、選りすぐりの人を集めて徹底的に英才教育を施せば、天才も出てくるでしょう。しかしそうやって〝中国共産党〟というフィルターを通した育成には、限界があるのではないでしょうか。

収容所から艾が生まれたように、アートとは不遇から生まれ、自由に育まれるものでもあります。

つけ加えれば、科学技術にも力を入れている中国なのに、ノーベル賞受賞者の数は少ない。歴史を振り返ると、本来の中国は「紙、火薬、羅針盤・印刷術」を発明した元祖イノベーションの国なのに、寂しいところです。

儒教の教えを継ぎ現世での実利追求を重視する国ゆえに、手先が器用でアレンジに優れていること、商売上手なことが成功をもたらしましたが、これまた諸刃の剣で、ゼロからものを生み出すほうに注力しない傾向があるのかもしれません。

型にハマった教育で、果たしてアーティストは育まれるのか？　中国はさまざまな意味で、これからも目の離せない国なのです。

第15章 現代アートを体感する地――日本

日本の「伝統芸能」を外国人はどう見ているのか

日本に住み始めて間もない、イスラム教徒であるナイジェリア人ビジネスパーソンと、大阪にある国立文楽劇場に文楽を見にいったときのこと。演目は『仮名手本忠臣蔵《かなでほんちゅうしんぐら》』。歌舞伎でも文楽でも定番と言えるプログラムで、ストーリーも比較的、わかりやすいものです。

「文楽っていうのは人形浄瑠璃といって、伝統的な人形の舞台です。太夫《たゆう》という語り手と人形と三味線、3つの要素はすべて男性がやるのが原則なんですよ」

拙い説明ではありましたが、大阪発祥であること、演目として歌舞伎と共通点が多いことなどを話すと、ユネスコの無形文化遺産になっていることもあり、彼は興味を示しました。

鑑賞を終え、食事をしながら感想を聞くと、「生きているみたいに人形が動いて、表情まで感じられる。日本人の手先の器用さそのものが芸術ですね」と、お世辞でなく満足そうでした。

しかし、こんな質問も出たのです。

「山中さん、終盤で切腹のシーンがあったでしょう。あれは自殺を助長することになりませんか?」

キリスト教徒にとって自殺はタブーとされていることはよく知られています。しかし私の見たところ、イスラム教のほうが、自殺はより強く問題視されているタブー。根拠としては、イスラム教国の自殺率の低さがあります。

2019年のWHOの調査によれば、人口10万人あたりの自殺者数が5%に満たない国は、アラブ諸国や北アフリカなど、イスラム圏の国々の多くが該当します。

逆に自殺者数が15%以上の国は、一部の東ヨーロッパの国、ロシア、そして日本など。いかにアラブ・北アフリカの自殺率が低いかがわかるでしょう。

私は件《くだん》のナイジェリア人に「忠臣蔵は300年以上も前の話だし、完全に歴史の中の物語になっている。これで自殺を誘発することはありませんよ」といったんは答えました。しかし、その後考えているうちに、彼の指摘は案外、当たっているようにも思えてきました。

文楽に限らず、日本の演劇、映画には自殺シーンが多くあります。江戸時代の天才脚本家・近松門左衛門が書いた歌舞伎や文楽の定番からして『曽根崎心中』『心中天網島』。

落語でも心中ものは定番ですし、ノーベル賞が期待され続ける村上春樹の『ノルウェイの森』は、さほど多くない登場人物のうち、主要な3人が自ら命を絶っています。

これらが自殺を促進するというのはあり得ないにしても、まったく影響がないとは言い切れないと思いました。

日本人と一緒に見ていたら、まず出てこなかったであろう質問で、私は「ナイジェリアの友人と見てよかった」と思いました。海外の人と日本の伝統的アートを鑑賞する際、「説明しなければ、教えなければ……」とばかり思ってしまいますが、はっと気づかされ、新たな視点に気づかされることも多いのです。

後日、彼に会った際には、2つのポイントを補足しました。日本文化の説明として汎用性があるので、紹介しておきましょう。

1 日本人は組織に対する忠誠心が非常に強いこと

家や藩への忠義が極端に強いことは、外国人にうまく説明しないと理解不能だと思います。同じ文楽の『菅原伝授手習鑑《すがわらでんじゅてならいかがみ》』にある「寺子屋の段」には、主君の子どもを殺せと言われた主人公が、身代わりに無辜《むこ》の子どもを殺すシーンがありますが、外国人にそのまま見せても「?・?・?」でしかありません。しかし天皇制から今の会社組織まで丁寧に説明すると、かなり興味をもってもらえます。

2 輪廻転生

死んでも繰り返し生まれ変わるというのは、仏教やヒンドゥー教のアジアの人々には馴染みがありますが、キリスト教、イスラム教の一神教信徒には違和感があると思います。

一神教の人たちが土葬にこだわるのは、復活のための肉体が大事との考えからくるもの。死生観について話すことで、信仰心の度合いもわかるかもしれません。

日本のアートを外国人に紹介する際には、「知識」というよりも宗教的な文脈や文化を伝えると、さらなる議論にも発展でき、互いに思考を深められると思います。

「ヒト・モノ・自然」が調和するという世界でも稀なアート

日本のアートの歴史において大きな転機と言えるのは、平安時代に中国の影響を受けて誕生した「唐絵《からえ》」です。これが進化し、やがて独自の「大和絵」となり、貴族の風俗が描かれました。室町時代には、雪舟《せっしゅう》が中国での学びを活かしつつ、独自の山水画を描きました。

江戸時代には素晴らしいアーティストが次々に登場。スターは何人もいますが、忘れてならないのは尾形光琳《こうりん》の琳派と葛飾北斎をはじめとした浮世絵で、自然、庶民、動物などが描かれます。260年もの長きにわたる江戸時代は、このほかにも伊藤若冲《じゃくちゅう》や円山応挙《まるやまおうきょ》など多数のスターを生みました。

琳派でも若冲でも、作品に何も描かれていない〝余白の部分〟が多いことも、日本のアートの特徴。近代以前の西洋アートであれば、構図をしっかりと設定することが重要で、何も描かれていない余白などは〝あり得ない〟もの。曖昧さは評価されません。

そして19世紀半ば以降は、日本と西側のアート交流が本格的に始まり、お互いに影響が見られるようになります。

このような歴史は、ちゃんと掘り下げると、非常に興味深いものです。

ビジネスパーソンが思考のツールとしてアートを使う際に、一つひとつを深く掘り下げる時間はなかなかとれないでしょうから、余裕があるときに自分が興味をもった本を読むなり、美術館に足を運ぶなりすればよいと思います。

日本のアートを通じて外国の人と会話をするためには、詳しい歴史よりも「アニミズム的な心性が残っており、八百万《やおよろず》の神を信じていた」などと多神教的観点から説明できるようにしておきましょう。

これは東アジア全体に言えることですが、花鳥風月が定番のモチーフなのは、近代以前のキリスト教徒には、容易に理解できないほど衝撃的なことでした。

仏教が広がった東アジア一帯では「人間が自然を支配する」というキリスト教的発想がなかったゆえに、ヒト・モノ・自然の調和が尊重されました。

ヒトとモノと自然の関係に着目したアーティストが、韓国出身で日本を拠点とする李禹煥《リ・ウファン》です。彼は「もの派」の代表的アーティストと言われます。

1960年代末に日本で誕生した「もの派」は、石や鉄板、木などを自然のままにして加工せず活用し、作品にします。確かに李のアートは、東洋に存在するモノへの敬意が感じられ、私は茶道の席入りを思い出しました。

茶道の客は茶室に入って席につく際に、禅画やお花を鑑賞し、一礼するのが作法。まさにモノへの敬意ですが、東アジア文化圏以外の友人には不思議がられます。

「単なる〝モノ〟に、礼をするのはなぜ?」

私はうまく説明できず、「日本人は、モノに対しても敬意をもって接するんです」というありきたりな言葉を口にしていましたが、李のアートを見ていて気がつきました。

「すべては関係性で成り立っているということに、敬意を払っている」――これが席入りの礼の答えなのだと。

李の〈関係項〉という一連の作品は、人間のつくったガラス板に、河原にあった石をぶつけてひびを入れるというもの。そのことで、人間がつくったモノと石という、人間と自然の深淵な関係を示しているのです。

東アジア的なヒト・モノ・自然との曖昧さを体現している作品は、日本人からするとさほど特別なものに感じられませんが、世界的に見れば革新的で、李は現代アーティストとして高く評価されています。

現代アートの世界的聖地・直島は行く価値あり

おおまかにまとめれば、アートを創作する人はかつて職人でした。そこからアーティストという創造者になり、現代アートの誕生から1世紀以上たった今、社会変革者へと立場を変えつつあります。

社会変革者でもある現代アーティストから、世界の未来を洞察する最高のヒントが得られる──私はそう考えています。

前述したとおり、現代アートはインスタレーションが重要な表現法なので、なおさら実際に体感することが大切です。

世界の現代アートを体感できる最高の舞台は、各国を代表するアーティストが集結するアートのオリンピック「ヴェネチア・ビエンナーレ」、スイスの「アート・バーゼル」、現代アートフェアとして古い歴史をもち、社会情勢を最も反映しているとされる、ドイツで行われる「ドクメンタ」があります。

2年に一度のビエンナーレはヴェネチアのほか、サンパウロ、イスタンブール、上海、光州と世界中の都市で行われます。

しかし、これらに参加しなくても、日本には直島《なおしま》があります。日本にいても十分に、世界の最新アートを知ることができます。

香川県の直島というと、今や誰もが知る現代アートの聖地です。直島を訪問する観光客は7割が欧米を中心とする外国人（コロナ禍以前）。現代アートに関心のある欧米の、意識が高い観光客はまず直島を目指します。瀬戸内国際芸術祭の開催地でもあり、今や国内外から注目を集めています。

かつて精錬所などはあったものの衰退していた過疎の島・直島が生まれ変わったのは、1990年代。福武書店（現ベネッセコーポレーション）社長（当時）の福武總一郎《そういちろう》氏の尽力、建築家・安藤忠雄氏や世界的な現代アーティストであるジェームズ・タレルなどの参画によって、アートが中心の島に生まれ変わりました。

直島の人気スポットの一つは、「家プロジェクト」。安藤忠雄氏やジェームズ・タレルの力によって、古民家や寺が体感できるアートに生まれ変わっています。

先述した李禹煥の美術館もあります。自然溢れる場所であるからこそ、自然との関係性にも目配りをする作品が、よりいっそう生えるように感じます。

日本を代表する現代アーティスト、草間彌生さんの〈南瓜〉〈赤かぼちゃ〉が海辺に展示されていることもあって、自然との関係を象徴しているように見受けられますが、「地中美術館」には息を呑みます。

モネの〈睡蓮〉と、アメリカの光と空間のアーティスト・タレル、ミニマルアーティストのウォルター・デ・マリアの作品が常設され、「無限の思索の部屋」のようです。

島全体が自然と調和したアートとなっている直島に足を運べば、日本にいながらにして世界のアートと対話することができます。自然との調和という点が、欧米にはない独自の雰囲気を醸し出しており、欧米人を惹きつけているのです。

現代アートは〝体感〟してこそ思索につながる

「ビジネスパーソンは、現代アートをどう活用するか?」

このテーマについて考えると、ルイ・ヴィトンがやっているような村上隆、草間彌生とのコラボレーションが連想されるかもしれません。

しかし、自社製品と最先端のアーティストのコラボを考えるのは、社運を賭ける巨大プロジェクトとなり、やや特殊なケース。

現実的に考えれば、直接のビジネスを考えるより、まずは「体感して、社会問題などを考え、自分なりの答えを出す」という基本を押さえることがビジネスパーソンにはふさわしいと思います。

そして日本は、現代アートを体感する場として、近さだけでなくクオリティとしても素晴らしいというのが私の見立てです。

2023年、本書を執筆している時点で、世界中の美術館・博物館に足を運び、海外3カ国に居住して多くの有識者と意見交換する機会にも恵まれました。

私のその経験を踏まえても、このところの日本のアートシーンは非常にレベルが高い。しかも「地方が面白い！」と感じています。

現代アートは巨大な作品が大きく、インスタレーションとなると何百、何千平方メートルもの面積を要することから、物理的に都心の美術館では難しいことが多いと感じます。

たとえば東京の新宿区弁天町にある草間彌生美術館は「建物丸ごと草間彌生」的な洗練された美術館ですが、都心だけにサイズとしては小さなもの。その点、彼女の出身地の松本市美術館では、ゆったりと草間彌生作品に浸ることができます。

敷地自体をアートにするにも、地価の安い地方が有利です。岐阜県の養老にある〈養老天命反転地〉は、現代アーティストの荒川修作さんとマドリン・ギンズによるランドアート。公園のような見事な庭園も素晴らしいのですが、建物に入ると天地が逆になっています。

床もカーブしていて普通に立てないところもあるくらいなのですが、人間の平衡感覚、遠近感、上下の感覚を揺さぶり、生死の境目すらわからなくさせる場所です。

身体感覚の揺らぎを体験して、「自分は死なない、ずっと生きているという前提は当たり前ではない」と考えるきっかけとなりました。自由な発想をもちたいと願いながら、いかに固定観念にとらわれているかを自問できる気がします。

現代アートばかりではありませんが、箱根のポーラ美術館、庭自体が絵画と評される島根県の足立美術館など、地方にはアートを通してゆったりと自分と向き合えるような素晴らしい施設がたくさんあるのです。

「大地の芸術祭」で〝世界の今〟と出会う

もう一つ、私が強くおすすめしたいのは、「大地の芸術祭」が行われる新潟の越後《えちご》妻有《つまり》里山《さとやま》現代美術館。直島と妻有は「日本の現代アートの二大聖地」といったところです。

瀬戸内国際芸術祭と大地の芸術祭の双方にかかわっているのは、新潟出身のアートディレクターの北川フラムさんです。こうした方々の功績が、地方に新たな価値を生み出しています。

日本の芸術祭だからといって日本の作品に限定しているということはまったくなく、民族・

国・地域の垣根が低いことも現代アートの芸術祭の特徴。今を生きる私たちの問題は、世界の共通問題でもあります。

２０２２年の大地の芸術祭では、ロシア、ウクライナのアーティストとの出会いがありました。

まずはイリヤ＆エミリア・カバコフ。旧ソ連時代のウクライナ出身で旧ソ連の体制に批判的なアーティストであるカバコフは、１９３３年生まれ。貧しいユダヤ人家庭に育ち、第二次世界大戦もソ連崩壊も経験した苦労人でもあります。

旧ソ連時代の１９５０年代から１９８０年代にかけて、ソ連政府公認の挿絵画家として活躍する一方、個人の自由の尊重をテーマとする作品を制作するなど、非公式のアート活動も行っていました。

自由を認めない独裁的国家で「なんとか自由を得たい」と尽力をしてきたカバコフは、その後アメリカに移住し、亡くなるまでアートのパートナーであり妻であるエミリア・カバコフと共に制作に励んできました。

私が特に感銘を受けたのは、十日町駅から1駅先の松代にある〈棚田〉です。カバコフは、豪雪地帯で自然からの苦労が絶えない新潟の稲作に、旧ソ連の農民の労働を重ね合わせて心を寄せたのでしょう。

〈棚田〉には伝統的な稲作の情景を詠んだテキストと、棚田で農作業をする人々の姿をかたどった彫刻が配置されています。

十日町市松代にある現代アートの施設・農舞台内の展望台から見ると、詩と風景、彫刻作品が融合した形で現れます。棚田と彫刻、詩が一体となった作品は、これまでのアートの前提をくつがえし、アートの概念自体を変えてくれました。

もう一つの出会いは、今、世界中の関心事であるロシアによるウクライナ侵攻をテーマにした作品を制作した、キーウ在住のウクライナ人アーティスト、ジャンナ・カディロワ。その作品〈パリャヌィツャ〉は、ウクライナの石で作られた丸パンのアートです。

「パリャヌィツャ」とは、ウクライナ語で丸パンを指し、ウクライナ語を母語としない者には発音しにくい単語とのこと。そのため、ロシアからの偵察者かどうかを見分けるために使われる言葉でもあるそうです。

ロシアとウクライナは言語的に近いために、ウクライナ人になりきろうとするロシア人がいても、平時であれば何ら問題ありません。しかし、戦時は完璧なウクライナ語を話すことで、情報収集に努めるロシア人が多数潜伏しているのでしょう。

カディロワはヴェネチア・ビエンナーレに出展経験もあるアーティストですが、ウクライナ侵攻によって逃亡を余儀なくされました。

平和な街が戦車に蹂躙される様子を見て、「芸術は夢のように儚《はかな》い」といったんは感じたと述べています。

〈パリャヌィツャ〉は、それでもアートの力を信じていることの証です。近くても決してロシアではないというウクライナの心情が、丸パンという日常的で柔らかなものを石でつくることによって表現されているのです。

アーティストの着想力と実行力、そしてアートを通じて社会をよくしていきたいという熱情。現代アートにはそこに込められたメッセージを、タイトルや文章と共に訴えかける作品も多く、鑑賞の際にはしっかりと読み取ることをおすすめします。

大地の芸術祭でのこれらアーティストとの出会いは、アートが時代や社会を映すものであること、またアートが大きな力を人々に与えてくれることがわかった貴重な機会でした。

個人の自由にしても、ロシアによるウクライナ侵攻にしても、アーティストはすぐに動き出して、社会に訴えたい思いを作品に昇華しているのです。

日本がアートのプラットフォームになる!

金沢21世紀美術館の元館長で、現在は兵庫県立美術館名誉館長を務める蓑豊《みのゆたか》さんが、ある講演で『現代アートの場合、美術館と新しいアーティストが一緒になって伸びていく。美術館にはアーティストを見出して育てていく要素もある」との趣旨を述べられていましたが、そこには観客も加わっているのだと思います。

リヒターのような現代アートの大御所を鑑賞するだけでなく、まだ無名の若いアーティストを見出して、瀬戸内や新潟、金沢で展示することで、一挙に知名度が上がっていく。その美術館は情報の発信源としてますます人を集め、集まった人はそれをおのおの感じ取り、SNSなどで発信したり、日々の思索やビジネスに活かしていく。この好循環を目指していけるのも、現代アートの面白さだと思います。

アートには人を呼び込む力があります。

国際的な演劇祭が行われる南フランスのアヴィニョンの人口はおよそ9万人、国際映画祭が行われるカンヌの人口は8万人程度ですが、人が少ないから街全体が盛り上がりますし、街全体が盛り上がるから世界中から人を集めるパワーが生まれます。

また、「日本文化を世界に発信しよう」という意識ではなく、世界中からアーティストに集まってもらい、日本という舞台で新たにアートをつくってもらうという発想の転換が必要です。

兵庫県豊岡市にある城崎《きのさき》国際アートセンターは、日本最大級のパフォーミングアーツなどのアーティスト・イン・レジデンス（アーティスト向けの無料滞在施設）で、世界中からアーティストが集まって、創作に励んでいます。

日本がアートのプラットフォームになるため、このようなアーティスト・イン・レジデンスはもっと増えたほうがいいように思いました。

城崎国際アートセンターでは、滞在アーティストによる公演やワークショップが原則無料で一般に公開されています。地域住民や観光客とアーティストの交流の場も提供しており、今後の社会におけるアートと地域住民のあり方を考えるうえで重要な示唆を与えてくれます。

そのために何ができるかを考えている現代アートのあり方は、ビジネスパーソンも大いに参考にできるはずです。

「新たな発想が欲しいなら、現代アートを見よう」

日頃からいろいろな人におすすめしている私自身、現代アートに大いにインスパイアされています。「よい現代アートがある」と聞くと、ギャラリーや美術館を目指して東奔西走。現代アートフリークと化している状態です。

たとえば、本書の打ち合わせで東京の出版社を訪れた2023年の春には、六本木の森美術館「ワールド・クラスルーム：現代アートの国語・算数・理科・社会」に足を運びました。

タイのアラヤー・ラートチャムルンスックの〈授業〉は、実際の遺体の前でアーティストが死についての講義をするという映像作品で、死者への尊厳と生命の無常を考えさせられました。

東京・大田区のART FACTORY城南島《じょうなんじま》は、三島喜美代さんのインスタレーションが常設されています。

瀬戸物でつくった新聞を積み上げた大規模な迷路では、情報社会や大量消費についての問題喚起をしています。

日々莫大な情報に接しているものの、かえって大事なこと、本質的なことがわからなくなってしまっていることを、私は迷路で迷いながら実感していました。

日常では思いもよらなかった発想や考えに至ることができる点も、現代アートの魅力ではないかと思います。


地方でも、小さなギャラリーでも、そして街角のパブリックアートでも、現代アートに触れる機会は私たちが思っているよりたくさんあります。

額縁に収まった名画だけでなく、現在の世界について〝今〟語り合える、そんな現代アートに積極的にかかわっていく。これはビジネスパーソンがアートに親しみ、理解を深める最短にして最良の道だと思うのです。

エピローグ

本書を最後までお読みいただき、誠にありがとうございます。エピローグとして、なぜ私が本書を執筆しようと思ったのか、その動機について書かせていただきます。

私が小学生だったときの趣味は、地球儀や世界地図を眺めることでした。世界の国や首都の名前を覚えることが好きで、「日本の裏側にあるブラジルってどんな国だろう」「ケニアでサファリをしたいな」と、まだ行ったことがない世界の国々について想像を巡らせることが何よりも楽しかったのです。

同時に、世界には戦争や紛争、貧困や差別があることも知りました。中学・高校で歴史や地理を本格的に学ぶようになり、世界の国々に対する関心と問題意識は高まる一方でした。

そのような私が、大学卒業時に選んだ職業は外交官でした。紛争や貧困、環境や人権問題といった地球規模の課題解決に貢献したいと思ったのです。

幸運にも、在外研修や大使館勤務でエジプト、イギリス、サウジアラビアに住む機会を得ることができ、特にエジプト在住時にカイロのイスラム教徒の家庭で下宿をして、アラブ文化・

イスラム文化に触れることができたことは、その後の人生において大きな財産となりました。

それらの日々は非常に充実していたのですが、少なくとも当時の私には、日本の外務省では自国の利益や安全を重視するあまり、人道的な問題が軽視されていると思われることも多々ありました。

地政学的に厳しい環境に位置する日本における国益や安全保障の重要性自体を否定するわけではありませんが、私は地球全体の利益を考えることが何より重要だと考えるようになり、自分の価値観と当時の仕事内容が徐々にずれていってしまいました。

そして、自分によくしてくれた外務省の先輩や同僚に感謝しつつも、外務省を退職。食べていかなければなりませんから、新聞広告で募集を見つけ、飛び込んだのが日本総合研究所というコンサルティング会社。そこは個人としての売上で年収が決まっていく、厳しい世界でした。


営利を求めるビジネスや営業経験もなかった私は、毎日4時半に起きて始発電車に乗り、早朝6時にはオフィスに入って仕事をしていました。他の同僚が出勤してくるまで3時間も早く出社していたのです。

自分が一生懸命努力すれば、目の前のクライアントが喜んでくれ、それが会社の利益にもつながるという世界は私にとって新鮮で、初めの頃は営業訪問しても相手にされませんでしたが、徐々に結果もついてくるようになりました。ただ不思議なもので、仕事がうまくいくようになると、子どもの頃からの夢である「地球全体の問題解決に貢献したい」という思いが強くなっていったのです。

そして2010年、42歳のときに独立し、起業。グローバルな人材を育て、かつグローバルビジネスを支援するという株式会社グローバルダイナミクスを立ち上げました。同社では、グローバルビジネスを志向する国内外の経営者・リーダーの研修やコンサルティングを行っています。

並行して、経営者・リーダーには哲学が重要であるとの問題意識から、京セラ創業者の稲盛和夫氏の盛和塾で経営哲学について学び、また経営の判断基準に仏教思想が役立つのではないかと思い、高野山大学大学院で仏教思想と比較宗教学を学び、修士号を取得しました。

さらに、哲学と密接な関係にあると考えた芸術について学ぶことを決意し、京都芸術大学（通信課程）で芸術全般について学びました。

2018年前後から引き合いが急激に増えているのは、世界中で起きていることをリベラルアーツの視点から考察して、ビジネスにつなげるノァシリテーション型のワークショップです。

ここでは歴史や哲学、宗教や芸術、最先端のテクノロジーまで幅広いテーマを扱います。変動性（Volatility）、不確実性（Uncertainty）、複雑性（Complexity）、曖昧性（Ambiguity）が高いとも言われるこれからのＶＵＣＡ《ブーカ》時代のあるべき方向性を、経営者やリーダーの方たちと一緒に考えています。今後も、世界中でリベラルアーツとビジネスを結びつけるプロジェクトに積極的に取り組んでいきたいと考えています。

ロシアによるウクライナ侵攻やハマス・イスラエル間の武力紛争などに見られるように、国際社会の不安定さは年々増しています。この要因の一つは、相手国のものの見方や価値観に対する「想像力の欠如」ではないかと思うのです。

私は前述のとおり、アートとビジネスをつなげるファシリテーション型のワークショップを行っています。このワークショップを通して、多くのビジネスパーソンが、他国やあらゆる民族を含む〝人間〟について多面的に問い、考え、相互理解を深めることを、身をもって体験しています。このことをぜひ読者のみなさんにもお伝えしたいと思ったのが、本書を書こうと思ったきっかけになります。

本書は、経営者やリーダーとのワークショップでの議論と、私が２０２１年度から担当している芸術文化観光専門職大学での授業やゼミでの議論を組み合わせてつくり上げました。世界を少しでも深く知りたい人にとって、アートの視点から世界を考える何らかのきっかけになれば、望外の喜びです。

芸術文化観光専門職大学の教職員や学生の皆さん、外務省時代の元同僚や赴任地で交流した世界各国の人たち、神戸情報大学院大学の世界各国からの留学生の皆さん、株式会社グローバルダイナミクスのクライアント企業の皆さん、日本総研の元同僚等々、本書の執筆に際しては、多くの方々との対話や交流がベースになっています。ここで改めてお礼を申し上げたいと思います。

特に、以下の皆さんのご助言を得たり、発言を参考にさせていただいたりしました。心よりお礼申し上げます。ヤザン・アルファアルフ、井尻めぐみ、尾西教彰、加藤誠人、狩野剛、熊倉敬聡、河野光浩、カテレゴ・ゴサナ、志賀裕朗、杉山至、パッドマクマール、平田オリザ、J・C・ヒロネーダ、藤野一夫、スティーブン・ボイド、松井義知、イブラヒム・ムハンマド、姚瑶、山根和子（敬称略、五十音順）。もちろん、本文中のいかなるミスについても、責任は著者である私にあることは言うまでもありません。

本書の執筆にあたっては、ライターの青木由美子さんに大いに助けていただきました。本当にありがとうございました。

最後に、人生のパートナーであり常に支援をしてくれる妻と、社会人として歩み始めた息子と娘にも感謝をして終わりたいと思います。

兵庫県香美町の風光明媚な日本海沿岸の樹々を見ながら。

山中俊之

巻末付録

アートに親しむための7つのTIPS

アートを楽しむためのアドバイスと言うとおこがましいですが、私が実践して、よりアートに親しめるようになった7つの習慣をまとめました。

1 美術館の常設展に行く

美術館の企画展が注目されることが多いのですが、実際には常設展の素晴らしさが見過ごされていることがあります。

たとえば、国立西洋美術館の常設展は、西洋美術の歴史を学ぶうえで最適ですし、アジアにおける西洋美術の常設展示として最高レベルです。一度は常設展にも足を運んでみてください。

2 出張・旅行のついでに居住地外の美術館を訪ねる

日本の地方都市には素晴らしい美術館がたくさんあります。直島や越後妻有はもちろん、山形美術館、諸橋近代美術館（福島県、ダリの展示で世界的に有名）、大原美術館（倉敷市）、ひろしま美術館など、わざわざ足を運ぶ価値のある美術館がいくつもあります。近くへの出張が決まった際には、できるだけ時間をつくって、その地域の美術館を訪れてみましょう。

3　企画展は平日の午前中がベスト

人気のある企画展は多くの人が訪れます。うっかり週末の午後にでも行くと、1～2時間くらい待たされることも。混雑を避けるためには、平日の午前中を狙いましょう。

4　解説を読む前、音声ガイドを聞く前に問いを発する

音声ガイドを借りて、理解を深めることは大切です。ただし、ガイドの内容に縛られないよう、音声ガイドを聞く前や、解説を読む前に「作品について何かしらの問いを発してみる」ことを試してみてください。問いの答え合わせをするつもりで鑑賞するのも一興です。

5　関連する書籍を購入して、帰りに一気に読む

美術館訪問後は、頭がアートモードになります。このときを利用しない手はありません。美術館で関連する書籍を購入し、帰りの電車などで一気に読むことで、驚くほど理解が深ま

り、新しい発見があります。ぜひ試してみてください。

6　自宅の部屋にアートを飾る

美術館で購入したレプリカや絵葉書を、自宅の壁や棚に飾りましょう。特に現代アートのように一見わかりにくい作品のものを置くと、自宅がアートの問いに溢れた知的空間になります。

7　毎日寝る前に見る「定番のアート」をもつ

私は寝室にミレーの〈晩鐘〉のレプリカを飾っています。毎日寝る前にこれを見ることで、「アメリカ開拓時代の農民のように頑張らないといけないな」という気持ちを再確認できます。実際はフランスの農民を描いた作品なのですが、アートは自分の解釈で楽しんだっていい。アートは自分の心境を定点観測できる〝対話の相手〟でもあります。また、寝る直前に〝マイ・アート〟を見ることで、時にいい夢を見させてくれることもある気がするのです。

参考文献

〈アート歴史・全般〉
エルンスト・H・ゴンブリッチ『美術の物語』河出書房新社、2019年
ジョン・ファーマン『これならわかるアートの歴史』東京書籍、1997年
ロバート・カミング『世界美術家大全』日東書院本社、2015年
高階秀爾監修『西洋絵画の歴史1-3』小学館101ビジュアル新書、2013年
木村重信『世界を巡る美術探検』思文閣出版、2012年
Daniel Herwitz "Aesthetics, Arts, and Politics in a Global World" Bloomsbury Academic, 2017
アラン・ド・ボトン&ジョン・アームストロング『美術は魂に語りかける』河出書房新社、2019年
アラン『芸術の体系』光文社古典新訳文庫、2008年
フィリップ・ヤノウィン『どこからそう思う？　学力をのばす美術鑑賞』淡交社、2015年
高階秀爾『近代絵画史　上下巻』中公新書、2017年
山口周『世界のエリートはなぜ「美意識」を鍛えるのか』光文社新書、2017年

〈現代アート〉
ニール・ヒンディ『世界のビジネスリーダーがいまアートから学んでいること』クロスメディア・パブリッシング、2018年

北川フラム『ひらく美術』ちくま新書、2015年
美術手帖編『現代アート事典』美術出版社、2009年
暮沢剛巳『自伝でわかる現代アート』平凡社新書、2012年
原田マハ・高橋瑞木『現代アートをたのしむ』祥伝社新書、2020年
ダニエル・グラネ&カトリーヌ・ラムール『巨大化する現代アートビジネス』紀伊國屋書店、2015年
徳光健治『現代アート投資の教科書』イースト・プレス、2021年
美術手帖編集部編『現代美術　ウォーホル以後』美術出版社、1990年
秋元雄史『直島誕生』ディスカヴァー・トゥエンティワン、2018年

〈哲学・思想・文学〉

プラトン『国家　上・下』岩波文庫、1979年
マックス・ヴェーバー『プロテスタンティズムの倫理と資本主義の精神』岩波文庫、1989年
ツルゲーネフ『猟人日記　上・下』角川文庫、1956年
トルストイ『復活　上・下』岩波文庫、2014年
ゲーテ『イタリア紀行　上・下』光文社古典新訳文庫、2021年
シュムペーター『経済発展の理論』岩波文庫、1977年
中江兆民『一年有半』光文社古典新訳文庫、2016年
熊倉敬聡『GEIDO論』春秋社、2021年
平田オリザ『名著入門』朝日新書、2022年

〈ヨーロッパ〉
David Bindman "Hogarth (World of Art)" Thames & Hudson, 2022
徳仁親王『テムズとともに』紀伊國屋書店、2023年
水野尚『フランス　魅せる美』関西学院大学出版部、2017年
エミリー・シャンプノワ『アール・ブリュット』白水社、2019年
外尾悦郎『ガウディの伝言』光文社新書、2006年
ウォルター・アイザックソン『レオナルド・ダ・ヴィンチ　上・下』文藝春秋、2019年
ジョン・トーランド『アドルフ・ヒトラー　1-4』集英社文庫、1990年
木島俊介『もっと知りたいシャガール　生涯と作品』東京美術、2012年
松本透『もっと知りたいカンディンスキー　生涯と作品』東京美術、2016年
村松和明『もっと知りたいサルバドール・ダリ　生涯と作品』東京美術、2016年
大友義博監修『西洋絵画BEST100』TJムック、2014年
藤野一夫『みんなの文化政策講義』水曜社、2022年

〈南北アメリカ〉
宮本陽一郎・佐藤良明『アメリカの芸術と文化』放送大学教育振興会、2019年
猿谷要『アメリカ黒人解放史』二玄社、2009年
PEN　2022年10月号『知らなかった、アンディ・ウォーホル』CCCメディアハウス
岡田裕成『ラテンアメリカ　越境する美術』筑摩書房、2014年
筑摩書房編集部『フリーダ・カーロ』筑摩書房、2015年

ウォーホル著『ぼくの哲学』新潮社、１９９８年
クリスティーナ・ビュリュス『フリーダ・カーロ　痛みこそわが真実』創元社、２００８年

〈中東・アフリカ〉

三浦徹『イスラーム世界の歴史的展開』放送大学教育振興会、２０１１年
長坂真護『サステナブル・キャピタリズム』日経ＢＰ、２０２２年
桝屋友子『すぐわかるイスラームの美術』東京美術、２００９年
Koyo Kouoh "When We See Us: A Century of Black Figuration in Painting" Thames & Hudson, 2023
Trevor Noah "Born a Crime" Penguin Random House LLC, 2016

〈アジア・日本〉

アイ・ウェイウェイ『アイ・ウェイウェイ主義』ブックエンド、２０１３年
鈴木勉『フィリピンのアートと国際文化交流』水曜社、２０１２年
宮治昭『インド美術史』吉川弘文館、２００９年
千玄室『日本人の心、伝えます』幻冬舎、２０１６年
秋元雄史『日本列島「現代アート」を旅する』小学館新書、２０１５年
ラフカディオ・ハーン（小泉八雲）『新編　日本の面影』角川ソフィア文庫、２０００年
ドナルド・キーン『日本人の美意識』中公文庫、１９９９年

口絵の資料出典等

1ページ　エル・グレコ〈キリストの復活〉 https://commons.wikimedia.org/wiki/File:Resurreccion_Prado.jpg

2ページ　レンブラント〈善きサマリア人〉 https://commons.wikimedia.org/wiki/File:Rembrandt_Harmensz._van_Rijn_033.jpg

3ページ　ゴッホ〈善きサマリア人〉 https://ja.wikipedia.org/wiki/%E3%83%95%E3%82%A1%E3%82%A4%E3%83%AB:Vincent_Willem_van_Gogh_022.jpg

4ページ　ミケランジェロ〈システィーナ礼拝堂天井画〉 https://commons.wikimedia.org/wiki/File:CAPPELLA_SISTINA_Ceiling.jpg

4ページ　ラファエロ〈フランソワ1世の聖家族〉 https://commons.wikimedia.org/wiki/File:La_Sainte_Famille_ - _Rapha%C3%ABl_ - _Mus%C3%A9e_du_Louvre_Peintures_INV_604.jpg

5ページ　ベラスケス〈ラス・メニーナス〉 https://commons.wikimedia.org/wiki/Category:Las_Meninas?uselang= ja#/media/File:Las_Meninas,_by_Diego_Vel%C3%A1zquez,_from_Prado_in_Google_Earth.jpg

5ページ　ゴヤ〈裸のマハ〉 https://commons.wikimedia.org/wiki/File:Goya_Maja_naga2.jpg

6ページ　ドラクロワ〈キオス島の虐殺〉 https://commons.wikimedia.org/wiki/File:Eug%C3%A8ne_Delacroix_ - _Le_Massacre_de_Scio.jpg

7ページ　ドラクロワ〈民衆を導く自由の女神〉 https://commons.wikimedia.org/wiki/File:Eug%C3%A8ne_

Delacroix_-_La_libert%C3%A9_guidant_le_peuple.jpg

7ページ　ドラクロワ〈アルジェの女たち〉 https://commons.wikimedia.org/wiki/File:Eug%C3%A8ne_Ferdinand_Victor_Delacroix_014.jpg

8ページ　ギュスターヴ・クールベ〈オルナンの埋葬〉 https://commons.wikimedia.org/wiki/File:Gustave_Courbet_-_A_Burial_at_Ornans_-_Google_Art_Project_2.jpg

8ページ　ルイ・ダヴィッド〈皇帝ナポレオン1世と皇妃ジョゼフィーヌの戴冠式〉 https://commons.wikimedia.org/wiki/File:Jacques-Louis_David,_The_Coronation_of_Napoleon_edit.jpg

9ページ　ゴーギャン〈我々はどこから来たのか 我々は何者か 我々はどこへ行くのか〉 https://commons.wikimedia.org/wiki/File:Paul_Gauguin_-_D%27ou_venons-nous.jpg

9ページ　ピーテル・ブリューゲル〈バベルの塔〉 https://commons.wikimedia.org/wiki/File:Pieter_Bruegel_the_Elder_-_The_Tower_of_Babel_(Vienna)_-_Google_Art_Project.jpg

10ページ　フェルメール〈手紙を書く女〉 https://commons.wikimedia.org/wiki/File:A_Lady_Writing_by_Johannes_Vermeer,_1665-6.png

10ページ　コンスタブル〈デダムの谷〉 https://commons.wikimedia.org/wiki/File:John_Constable_-_The_Vale_of_Dedham_-_Google_Art_Project.jpg

11ページ　ターナー〈雨、蒸気、速度――グレート・ウェスタン鉄道〉 https://commons.wikimedia.org/wiki/File:Turner_-_Rain,_Steam_and_Speed_-_National_Gallery_file.jpg

11ページ　カンディンスキー〈コンポジションⅦ〉 写真提供：ユニフォトプレス

12ページ　アルフォンス・ミュシャ〈ロシアの農奴解放の日〉 https://commons.wikimedia.org/wiki/File:Mucha_Zrušeni_nevolnictvi.jpg

12ページ　ヤン・マテイコ〈レイタン、ポーランドの没落〉　https://commons.wikimedia.org/wiki/File:Rejtan_Upadek_Polski_Matejko.jpg

13ページ　シャガール〈戦争〉　©ADAGP, Paris & JASPAR, Tokyo, 2023, Chagall® X0178 ／写真提供：ユニフォトプレス

13ページ　エマヌエル・ロイツェ〈デラウェア川を渡るワシントン〉　https://commons.wikimedia.org/wiki/File:Washington_Crossing_the_Delaware_by_Emanuel_Leutze,_MMA-NYC,_1851.jpg

14ページ　ミレー〈種をまく人〉　https://commons.wikimedia.org/wiki/File:Jean-Fran%C3%A7ois_Millet_-_The_Sower_-_Google_Art_Project.jpg

14ページ　ウォーホル〈自由の女神〉　©2023 The Andy Warhol Foundation for the Visual Arts, Inc. / Licensed by ARS, New York & JASPAR, Tokyo X0178 ／写真提供：ユニフォトプレス

15ページ　石垣栄太郎〈リンチ〉　MOMAT/DNPartcom

15ページ　レオナルド・ダ・ヴィンチ〈サルバトール・ムンディ〉　https://en.m.wikipedia.org/wiki/File:Leonardo_da_Vinci,_Salvator_Mundi,_c.1500,_oil_on_walnut,_45.4_%C3%97_65.6_cm.jpg

著者略歴

山中俊之《やまなかとしゆき》

著述家・ファシリテーター。芸術文化観光専門職大学教授。神戸情報大学院大学教授。株式会社グローバルダイナミクス取締役。一九六八年兵庫県西宮市生まれ。東京大学法学部卒業後、一九九〇年外務省入省。エジプト、イギリス、サウジアラビアへ赴任。対中東外交、地球環境問題などを担当する。エジプトでは、カイロの庶民街の家庭に二年間下宿。首相通訳（アラビア語）や国連総会を経験。外務省を退職し、二〇〇〇年、株式会社日本総合研究所入社。二〇一〇年、グローバルダイナミクスを設立。リベラルアーツや世界情勢とビジネスをつなぐことができる経営者・リーダーの育成に従事。二〇二四年現在までに世界九十七カ国を訪問し、先端企業から貧民街、農村、博物館、美術館を徹底視察。京都芸術大学卒（芸術教養）。ケンブリッジ大学大学院修士（開発学）。高野山大学大学院修士（仏教思想・比較宗教学）。ビジネス・ブレークスルー大学大学院MBA。大阪大学大学院国際公共政策博士。著書に『世界96カ国で学んだ元外交官が教える　ビジネスエリートの必須教養「世界の民族」超入門』（ダイヤモンド社）などがある。

幻冬舎新書 723

「アート」を知ると「世界」が読める

二〇二四年三月二十五日 第一刷発行

著者 山中俊之

発行人 見城 徹
編集人 小木田順子
編集者 四本恭子

発行所 株式会社 幻冬舎
〒一五一-〇〇五一 東京都渋谷区千駄ヶ谷四-九-七
電話 〇三-五四一一-六二一一(編集)
〇三-五四一一-六二二二(営業)
公式HP https://www.gentosha.co.jp/

ブックデザイン 鈴木成一デザイン室
印刷・製本所 中央精版印刷株式会社

検印廃止

Printed in Japan ISBN978-4-344-98725-8 C0295
や-23-1

*この本に関するご意見・ご感想は、左記アンケートフォームからお寄せください。
https://www.gentosha.co.jp/e/